Grabgestaltung

Liebevoll und schön

Weltbild

Brigitte Kleinod

Grabgestaltung

Liebevoll und schön

Inhalt

Grabstätte und Grabmal

Friedhof und Bestattung

Von den Anfängen der Menschheit bis zur heutigen hochtechnisierten Gesellschaft werden Verstorbene an besonderen Orten begraben. Im christlichen Abendland wurden die Toten seit dem 8. Jahrhundert in der Nähe des Altars, das heißt in der Kirche oder auf dem Kirchhof beigesetzt. Diese Gräber wurden immer wieder für Nachbestattungen genutzt. Hygienische Bedenken und die Bevölkerungsentwicklung bewirkten eine schrittweise Ablösung der Bestattungsfelder von der Kirche. Nach der Reformation erfolgte eine Verlegung der Grabstätten vor die Stadttore in einen ummauerten Friedhof. Bei ihm fehlt die räumliche Verbindung zum Gotteshaus, dafür erhält die Einfriedung als Abschluss gegen die Welt und der Eingang als Tor zum ewigen Leben besondere Bedeutung. Heute bieten städtische Friedhöfe vielen Glaubensrichtungen und Kulturen Möglichkeiten für ihre eigenen Trauerrituale und Bestattungen.

Voraussetzung für die geschnittenen Hecken des formal gestalteten Grabfeldes sind einheitliche Steinformate.

Neben seiner eigentlichen Funktion wird der Friedhof besonders in Städten auch als Park mit Erholungsfunktion gesehen. Bei der Anlage neuer, aber auch der Pflege älterer Friedhöfe berücksichtigt man ökologische Kriterien, denn Friedhöfe dienen nicht nur den Lebenden und ihren Verstorbenen, sie sind auch wichtige Rückzugsgebiete für viele Tier- und Pflanzenarten und bieten ihnen in dicht besiedelten Ballungsgebieten oft die einzige Überlebenschance.

Die frei wachsende Hecke im Hintergrund gibt den farbenfroh und unterschiedlich gestalteten Einzelgrabstätten einen verbindenden Rahmen.

Deshalb wird bei der Bepflanzung vermehrt auf heimische Bäume und Sträucher geachtet, die Nistmöglichkeiten bieten und deren Blüten und Früchte für Insekten, Vögel und andere Tiere wichtige Nahrungsquellen darstellen. Rasenflächen werden nicht gedüngt und nur noch selten gemäht. So erfolgt eine Umwandlung zu Blumenrasen, die Bienen und Schmetterlingen Nahrung bieten.

Grabfelder und Grabarten

Eine schöne Bepflanzung rahmt den Friedhof ein und betont die Wegachsen. Sie unterteilt größere Anlagen aber auch in überschaubare Abteilungen und Grabfelder.

Die mit einer Rahmenbepflanzung voneinander getrennten Grabfelder mit Grabstätten ein und derselben Größe unterliegen verschiedenen Gestaltungsvorschriften. In der Friedhofsordnung (siehe Seite 92) werden zum Beispiel Ruhezeiten, Größe, Farbe und Material des Grabmals sowie der Einfassung geregelt. An einem Grab können allerdings nur Nutzungsrechte erworben werden, der individuelle Kauf einer Ruhestätte ist ausgeschlossen. Die Dauer der Nutzungsrechte für unterschiedliche Grabarten sind ebenso verschieden wie die Kosten und die Möglichkeiten der Verlängerung der Ruhezeiten.

Reihengrabstätten sind Einzelgräber, die der Reihe nach, also zum Zeitpunkt des Todes, vergeben und nur für die Dauer der gesetzlichen Ruhefrist genutzt werden können. Diese ist abhängig von den geologisch-hydrologischen Standortverhältnissen, wodurch die Dauer der Verwesung bestimmt wird. Da keine breiten Zwischenwege für Nachbestattungen benötigt

Provisorischer Grabschmuck in Schalen auf einem frischen Grabhügel

Grabarten und Grabbeete

Grabart	Größe und Gestaltung des Grabbeetes	Übliche Nutzungsdauer
Urnen-Reihengrab	1 x 1 m, Grabmal und Bepflanzung	15 bis 25 Jahre, nicht verlängerbar
Urnen-Wahlgrab	1,20 x 1,20 m, Grabmal und Bepflanzung	Verlängerbar, mehrere Urnen möglich
Urnen-Gemeinschaftsanlage	0,60 x 0,80 m, Grabmal, nur Saisonschmuck im Gefäß möglich	15 bis 25 Jahre, nicht verlängerbar
Urnen-Wand (Kolumbarium)	Beschriftete Nische in Wand, Saisonschmuck im Gefäß vor Wand teilweise möglich	20 bis 30 Jahre, verlängerbar
Erd-Kindergrab (für Kinder bis zu 5 oder 6 Jahren)	0,90 x 1,50 m, Grabmal und Bepflanzung	15 bis 30 Jahre, meist verlängerbar
Erd-Reihengrab	1,10 x 2,20 m (bis 2,40 m), Grabmal und Bepflanzung	15 bis 30 Jahre, nicht verlängerbar
Einstelliges Erd-Wahlgrab	1,20 x 2,50 m, Grabmal und Bepflanzung	15 bis 30 Jahre, einmal bis mehrmals verlängerbar
Zweistelliges Erd-Wahlgrab	2,40 x 2,50 m, Grabmal und Bepflanzung	15 bis 30 Jahre, einmal bis mehrmals verlängerbar
Anonymes Grab (für Urne oder Sarg)	Kein persönliches Grabmal, kein Grabbeet	12 Jahre, nicht verlängerbar

werden, ist das Nutzungsrecht bei Reihengrabstätten relativ kostengünstig. Bei Wahlgrabstätten handelt es sich um Einzel- und Doppelgräber; aber auch Tiefgräber mit der Möglichkeit der Bestattung übereinander sind in einigen Städten üblich. Bei der Wahlgrabstätte kann der Grabplatz gewählt werden, ebenso gibt es eine Verlängerung oder Wiedererwerb der Nutzungsrechte. Der Vorteil der längeren Nutzung zieht aber auch die Verpflichtung der längeren Pflege nach sich. Dies bedeutet, dass im Fall des Ablebens des Nutzungsberechtigten ein Nachfolger bestimmt werden muss.

Bestattungsformen

Neben der meist üblichen Erdbestattung des Leichnams in einem Holzsarg ist auf allen Friedhöfen auch die Urnenbestattung in einem Erdgrab möglich. Dies kann ein Wahlgrab für eine oder zwei Urnen sein, das man innerhalb der vorgegebenen Regeln individuell gestalten und bepflanzen kann. Reihenurnengräber ohne Zwischenwege und Urnengemeinschaftsgräber unterliegen meist strengen Gestaltungsrichtlinien, damit sich für jedes Feld ein ruhiges Bild ergibt.

Urnenwände (Kolumbarien) sind eine platzsparende Bestattungsvariante, die keinerlei Grabpflege erfordern. Auf einigen Friedhöfen ist aber am Fuß der Urnenwand ein schmaler Pflanzstreifen vorgesehen, der von Angehörigen bepflanzt werden darf. Eine weitere Bestattungsform stellen sogenannte anonyme Urnengräber mit meist zwölfjähriger Ruhefrist dar. Was von den Verstorbenen meistens bewusst gewählt wird, um die überlebenden Angehörigen zu entlasten, stellt sich leider im Nachhinein häufig als bedauerliche Entscheidung heraus. Denn anonyme Bestattungen finden meist ohne Trauerfeier statt und es gibt keinen Ort, an dem die Angehörigen Zwiesprache mit dem Toten halten können. Die vielen (verbotenerweise) abgelegten Blumensträuße auf anonymen Grabfeldern weisen auf diese Problematik hin.

Eine Idee aus der Schweiz, die Friedwald-Bewegung, findet auch in Deutschland immer mehr Anhänger. Hier wird die Asche der Verstorbenen in einem Privatwald unter einem Baum verstreut oder zusammen mit einem neuen Baum in das Pflanzloch gegeben. Ein kleines Namensschild und ein Bestattungsbuch beurkunden die Stelle.

Da sich die Einstellung der Menschen sowohl zum Trauerritual als auch zur Begräbnisform aus verschiedenen Gründen wandelt, ist es umso wichtiger, den für den Verstorbenen und seine Angehörigen passenden Begräbnisplatz zu finden. Er sollte sowohl dem würdigen Andenken des Toten Rechnung tragen als auch den passenden Rahmen für die Trauerarbeit der Hinterbliebenen bieten.

Kolumbarien sind Urnenwände, die keinen Platz für eine Grabbepflanzung bieten.

Grabpflege als Trauerarbeit

Das Bedürfnis, mit dem Verstorbenen an seinem Grab Zwiesprache zu halten, ist bei den Angehörigen unterschiedlich stark ausgeprägt und lässt meist mit der Zeit nach. Vielen Menschen reichen nach einer gewissen Zeit ein kurzer Besuch, das Bringen von Blumen zu bestimmten Gedenktagen und einige ordnende Handgriffe an der Bepflanzung. Anderen hilft, zumindest in der ersten Zeit, nur eine aktive Trauerbewältigung, indem sie das Grab als Andenken an den Verstorbenen individuell planen und gestalten.

Individuelle Bepflanzung

Dies beinhaltet sowohl die personenbezogene Auswahl des Grabmals, der Inschrift und Ausschmückung mit Symbolen als auch die Begrünung mit Pflanzen, die dem Verstorbenen gerecht werden. Das können, zum Beispiel bei einem verstorbenen Hobbygärtner, Pflanzen aus dem eigenen geliebten Garten sein. Einem Naturliebhaber kann man mit heimischen Pflanzen ein Andenken bewahren und dem Alpenfreund mit einem passenden Findling und einem kleinem „Alpinum“ auf dem Grabbeet. Das anschließende Gefühl, dem Verstorbenen gerecht geworden zu sein, kann auf diese Weise ganz entscheidend zur Trauerbewältigung beitragen.

Achten Sie bei der Planung der Bepflanzung immer auf eine rückenfreundliche und gelenkschonende Möglichkeit der Grabpflege.

Im Alter wird Grabpflege oft zur Last.

Friedhofsgärtner

Haben Sie sich für die Hilfe eines Friedhofsgärtners entschieden, vergleichen Sie die Angebote, denn meist bieten auf einem Friedhof mehrere Unternehmen ihre Dienste an. Die Dienstleistungen reichen von der Planung und Neuanlage, über die Umgestaltung und zeitlich begrenzte Pflegemaßnahmen bis hin zu einer langfristigen Dauergrabpflege. Pflegeverträge über den Gesamtzeitraum der Grabbelegung werden über eine Treuhandgesellschaft geschlossen und an diese im Voraus bezahlt.

Grabmal und Grabzeichen

Ein Grabmal aus Stein ist ein sehr altes Erinnerungszeichen, das in fast allen Kulturen Unvergänglichkeit symbolisiert. Die Bepflanzung ist jedoch eine kulturelle Erscheinung der Neuzeit in christlich geprägten Gesellschaften. Symbolpflanzen wurden den Toten früher mit ins Grab gegeben und erst ab Beginn des 19. Jahrhunderts auch auf das Grab gepflanzt. Diese Sinnbezogenheit der Pflanzung ist heute einem reinen Schmuckbedürfnis gewichen.
Aber auch das Grabmal hat sich im Laufe der Zeit verändert. Wurde es früher aus ortsüblichem Stein handwerklich gefertigt und ein Bezug zum Toten, dessen Herkunft, Beruf und Glaubensrichtung hergestellt, überwiegt heute die industriell hergestellte Massenware aus fernen Ländern.

Dezente Skulptur aus europäischem Muschelkalk

Holz ist ein passender Werkstoff für Grabmale, wie diese künstlerisch gestaltete und dennoch natürlich wirkende Stele zeigt.

Wahl des Grabmals

Bei der Wahl des Grabmals müssen die in der Friedhofssatzung festgelegten Bestimmungen für Maße, Material, Form und Farbe berücksichtigt werden. Der beauftragte Handwerker muss den Entwurf für ein neues Grabmal mit Inschrift zur Genehmigung bei der Friedhofsverwaltung vorlegen. Grabmäler gibt es in unterschiedlicher Ausführung: in Stein, Holz oder Metall, als Kreuze oder Stelen, als rechteckige Grabsteine, Liegeplatten oder Kissensteine, bearbeitet oder als Findling. Beton und Kunststoffe werden in der Regel nicht genehmigt.
Auch die Lage des Grabmals ist in der Friedhofssatzung geregelt. In der Regel steht es mittig am Kopfende der Grabstätte, es kann bei Doppelgrabstätten aber meist auch asymmetrisch gesetzt werden. Stelen bei Urnengräbern kommen auch in die Mitte.
Wichtig ist eine gute Verankerung mit dem Fundament, um die Standfestigkeit über die Zeit der Nutzung zu gewährleisten. Bei kleinen Stelen, Liegeplatten und Kissensteinen ist der Aufwand geringer, da hier kein Fundament benötigt wird.

Materialien für Grabmale europäischer Herkunft

Material	Herkunft	Farbe	Eigenschaften
Basalt	Deutsche Mittelgebirge	Grau bis Schwarz	Hart, natürliche Stelenform
Diabas	Hessen	Dunkelgrau bis Schwarz, körnig	Hart, gut zu bearbeiten und polieren
Gneis	Tessin	Hell- bis Dunkelgrau	Feinkörnig
Granit	Deutschland, Belgien, Skandinavien	Grau, Schwarz, Rot, gesprenkelt oder marmoriert	Ähnlich wie Diabas
Kalkstein	Frankreich, Jura	Hellgrau, Hellgelb	Geringe Frosthärte
Muschelkalk	Alpen	Cremefarben	Gut zu bearbeiten
Marmor	Italien, Griechenland, Portugal, Türkei	Weiß, rötlich oder grünlich marmoriert	Meist poliert, harter Kalkstein
Quarzit	Odenwald	Gelblich bis rötlich marmoriert	Sehr hart, kristallin, meist als Findling
Sandstein	Deutschland, Elsass	Rot, Gelb, Grüngrau	Gut zu bearbeiten
Metalle	In verschiedenen Gegenden Süddeutschlands alte Tradition	Meist Schwarz, Grau, matt Silbern	Individuell formbar (Kunstschlosser, Kunstschmied)
Holz (Eiche, Robinie, Buche, Lärche)	Deutschland, Europa	Hell- bis Dunkelbraun, später unbehandelt oft silbrig	Individuell formbar (Holzbildhauer, Kunstschreiner)

Material und Form

Auf der kleinen Fläche einer Grabstätte ist das Grabmal das dominierende Element, dem sich die Bepflanzung unterordnet. Es sollte deshalb mit Bedacht ausgewählt werden. Material, Form, Oberflächenstruktur, Farbe sowie Inhalt und Gestaltung der Inschrift geben jeder Grabstätte etwas Persönliches. Individuell gestaltete Grabmale sind oft Kunstwerke und werden dem Andenken an einen Verstorbenen am besten gerecht. Aber man kann auch im unbearbeiteten Findling etwas Symbolhaftes sehen, ein Sinnbild für Natürliches, Dauerhaftes, Ewiges. Früher stammten die Grabsteine ausnahmslos aus der näheren Umgebung und harmonierten deshalb in Material und Farbe. Heute können Grabsteine aus aller Welt importiert werden. Entsprechend groß ist die Vielfalt an Materialien, Formen und Farben, was aneinandergereiht oft ein unruhiges Bild ergibt.

Gut zu bearbeiten und dezent in der Farbgebung sind Kalkstein, Granit, Diabas und Sandstein.

Grellweiße und tiefschwarze Marmore wirken dagegen ebenso störend wie spiegelnde Polituren.

EXPERTEN-TIPP

Es ist sinnvoll, sich bei der Auswahl und Anordnung des Grabmals schon Gedanken über die Flächenaufteilung und die Bepflanzung zu machen, denn alle Bestandteile des Grabbeetes sollten ein harmonisches Gesamtkonzept erkennen lassen.

Grabstein – Form und Schrift

Formen

Die Form des gewählten Grabzeichens muss mit Sorgfalt bedacht werden. Sie sollte nicht nur zum Grabplatz, sondern auch zur Umgebung passen. Noch immer werden am häufigsten Breitwandsteine ausgesucht, die bei Einzelgrabstätten die gesamte Breite der Kopfseite des Grabes einnehmen. Sie dominieren den Grabplatz und sind nur schwer in eine Bepflanzung einzubinden, besonders wenn es sich um dunkle und polierte Steine handelt.

EXPERTEN-TIPP

Größe, Form, Material, Oberflächenbearbeitung und Befestigung des Grabmals sind auf städtischen Friedhöfen geregelt. Beauftragen Sie nur einen Steinmetz, der die Regelungen für den ausgesuchten Grabplatz genau kennt. Freie Entwürfe müssen meist von der Friedhofsverwaltung genehmigt werden.

An schattigen Grabplätzen wirken sie zudem sehr düster, was auch eine farbenfrohe Bepflanzung nur schwer ändern kann.

Stelen sind schlanke aufrechte Grabzeichen, die am Kopfende, auch asymmetrisch oder bei Urnengräbern in der Mitte des Grabes platziert werden können. Sie lassen sich gut in die Bepflanzung integrieren und bieten genügend Platz für eine Beschriftung. Die klassische Stelenform mit quadratischem Grundriss kann auf vielfältige Weise abgewandelt werden, zum Beispiel als Säule mit rundem oder ovalem Querschnitt. Auch in Holz, Metall oder als Kombination zweier Materialien lassen sich Stelen interessant und künstlerisch gestalten.

Edelstahl ist ein modernes Material für Grabmale. Es ist allerdings nicht überall zugelassen.

Platten oder Kissen sind eine dritte Variante des Grabzeichens. Sie sollten jedoch nur auf Urnengräbern zusammen mit einer niedrigen Bepflanzung Verwendung finden, da sie leicht überwuchert werden. Aufgebockte Kissensteine, beispielsweise in Form eines Buches, sind eine verbreitete, nicht gelungene Variante, die dieses Problem zu umgehen versuchen. Noch unschöner sind Steinplatten, die das gesamte Grab abdecken. Die angebliche Pflegeleichtigkeit dieser unnatürlichen Variante verkehrt sich ins Gegenteil, denn sie müssen regelmäßig gereinigt werden. Im Sommer werden sie zudem so heiß, dass jede Pflanze auf ihnen binnen Kürze den Hitzetod stirbt.

Findlinge sind vom Menschen unbearbeitete, aber oft von der Natur sehr reizvoll gestaltete Steine. Gut ausgesucht und platziert, lassen sie sich schön in eine naturnahe Bepflanzung integrieren. Diese sollte sich an der Herkunft des Steines orientieren und ein passendes „Minibiotop" abbilden. Nicht ganz einfach ist es, eine passende Beschriftung auf dem Findling anzubringen. Er kann aber auch durch eine liegende, beschriftete Platte der gleichen Gesteinsart am Fuße des Grabes ergänzt werden.

Schriften

Die Schrift auf dem Grabmal sollte sorgfältig ausgewählt werden, denn sie gestaltet es wesentlich mit. Angeboten werden aufgesetzte Schriften aus Bronze, Messing oder Aluminiumguss, die als einzelne Lettern oder als ganzer Schriftzug aufgedübelt werden. Letztgenannte Methode ist bei Doppel- und Familiengrabstätten zu bevorzugen, da der Stein an Ort und Stelle nachbeschriftet werden kann. Bei in den Stein geschlagenen Schriften gibt es die Möglichkeit einer vertieften, einer erhabenen und einer vertieft-erhabenen Ausführung. Für Nachbeschriftungen muss der Stein in der Regel in die Werkstatt des Steinmetzes oder Steinbildhauers transportiert werden. Intarsien werden manchmal bei Holzgrabmalen benutzt. Diese und die eingeschlagenen Schriften können außerdem farbig gestaltet werden. Dazu kommen noch die verschiedenen Schriftformen, wobei klare moderne Schrifttypen zeitloser wirken als verspielte oder verschnörkelte.

Hartholz ist ein reizvoller und haltbarer Werkstoff für Grabmäler, der zu neuen Formen und künstlerischer Gestaltung herausfordert.

Form und Größe des Kissensteins, schlichte vertiefte Schrift sowie die niedrige Bepflanzung sind gut aufeinander abgestimmt.

Einfassungen und Symbole

Die kleine Natursteinmauer unterstreicht ebenso wie der Findling (aus Taunusquarzit) die naturnahe Gestaltung der Bepflanzung.

Auf älteren Friedhöfen ist oft eine Einfassung aus dem Material des Grabsteins zulässig. In neueren Anlagen wird dagegen eine offene Bepflanzung mit verbindenden Grünflächen angestrebt. Deshalb ist hier eine Abgrenzung der Grabstätte mittels flacher begehbarer Steine schon vorbereitet. Nach Fertigstellung soll sich das Grabbeet mit ihnen auf gleicher Höhe befinden. Bei Friedhöfen am Hang kann eine erhöhte Einfassung aus Stein nötig sein. Bei Doppelgrabstätten werden Grabstein und Einfassung für eine Nachbestattung meist entfernt und können erst wieder eingebaut werden, wenn sich die Erde wieder gesetzt hat, was er-

Die Grabeinfassung ist ebenso gestaltgebend wie das Grabmal und andere symbolischen Elemente.

hebliche Zusatzkosten erfordert. Grabplatten werden vielerorts nicht mehr geduldet, denn sie stellen eine Versiegelung und „Versteinerung" der Friedhöfe dar, was die Umwandlungsprozesse im Boden stören kann. Wie groß und schwer eine Teilabdeckung der Grabstätte sein darf, regelt die Friedhofsordnung (siehe Seite 92).

EXPERTEN-TIPP

Grabmale sind Zeitzeugen und müssen nicht chemisch gereinigt oder poliert werden. Flechten und Moose, die sich ansiedeln, symbolisieren das Fortschreiten der Zeit und den Lauf der Natur. Ist eine Reinigung dennoch erforderlich, genügen Wasser und eine feste Bürste.

Symbole

Das Grabmal selbst kann Symbolform haben, zum Beispiel als Kreuz gestaltet oder mit eingeschlagenen oder aufgesetzten Symbolen geschmückt sein. Neben Glaubenssymbolen werden auch gerne Blumen- und Berufssymbole benutzt. Weitere Zeichen symbolisieren bestimmte Lebensphasen oder stellen eine Beziehung zum Verstorbenen her. Der Übergang vom handwerklich bearbeiteten Grabmal zur Skulptur ist dabei fließend. Aber auch mit zusätzlichen Gestaltungselementen aus Holz, Metall oder Stein, wie zum Beispiel Wasserbecken, Pflanzschalen, Laternen oder besonderen Steinen, kann man ein Grab schmücken.

Allerdings sollte man das Grabmal nicht mit Symbolen überladen, denn auch die Bepflanzung kann symbolischen Charakter haben. Die gewählten Zeichen müssen nicht von allen Menschen verstanden werden. Es reicht, wenn diejenigen, die den Toten gut gekannt haben, eine Bedeutung darin sehen. Die ausgewählten Symbole sollten sich auf den Verstorbenen, seine Lebensauffassung, seinen Glauben, seinen Beruf oder seine Vorlieben beziehen. Die Umsetzung sollte dezent gestaltet sein und handwerklich gekonnt umgesetzt werden. Eine künstlerische Skulptur nach eigenen Entwürfen, vom Stein- oder Holzbildhauer angefertigt, muss nicht sehr teuer werden. Lassen Sie sich Zeit mit der Auswahl des Grabmals und der Symbole und bedenken Sie, dass eine liebevoll gepflegte Grabbepflanzung auch ein schönes Symbol für das Andenken an einen geliebten Menschen ist.

Sehr ausdrucksstark und von hoher Symbolkraft ist dieser solarbetriebene Sprudelstein als Grabmal.

Kritisches zu Importware

Sehr viele Steinmetze bieten fast nur noch billige Grabmale aus fernöstlichen Ländern an, die unter sehr fragwürdigen Umständen, beispielsweise durch Kinderarbeit, hergestellt wurden. So trifft man auf Friedhöfen immer wieder auf die gleichen, fremd wirkenden Gesteinsarten in den immer wiederkehrenden Formen. Wer bei dieser Gedankenlosigkeit nicht mitmachen will, erkundigt sich genau oder beschränkt sich besser auf einen preiswerten unbearbeiteten Findling aus der Umgebung.

Grabplatz und Klima

Die mit Bodendeckern ähnlich und doch individuell bepflanzten Grabstätten in sonniger Lage wirken als Gesamtanlage harmonisch und großzügig.

Für die Gestaltung und Bepflanzung einer Grabstätte ist es wichtig, die Klimafaktoren an diesem Ort zu kennen, denn sie sind ausschlaggebend für die Wahl der richtigen Pflanzen. Selbst das Grabmal wird in seiner optischen Erscheinung und seiner Dauerhaftigkeit von Licht und Feuchtigkeit beeinflusst. Die Lichtverhältnisse ändern sich im Wechsel der Jahreszeiten durch den Sonnenstand, aber auch durch die Beschattung sommergrüner Laubgehölze. Die Temperatur am Grabplatz kann durch Mauern oder Bäume in der Nähe von ihrem allgemeinen Verlauf abweichen. Liegt das Grab unter einer Baumkrone, stellen sich ganz besondere Feuchtigkeitsbedingungen ein. Das Mikroklima am Grabplatz kann sich daher erheblich vom allgemeinen Klima der Region unterscheiden.

Die Niederschlagsmenge und -verteilung über das Jahr ist für die Feuchtigkeitsbedingungen ausschlaggebend. An einer Grabstätte lässt sich mangelnder Regen durch Gießen beheben, aber gerade an sehr heißen Tagen mag man nicht immer auf den Friedhof ge-

EXPERTEN-TIPP

Die Dauerbepflanzung einer Grabstätte sollte gut an die vorherrschenden Klimabedingungen angepasst sein, denn nur richtig ausgewählte Pflanzenarten bleiben ohne viel Pflegeaufwand gesund. Informationen zu den Lichtansprüchen geben die Pflanzenetiketten, Angaben zu Klima und Boden findet man in guten Katalogen und Bestimmungsbüchern.

hen. Auch bei üppigen Niederschlägen und trotz Gießen kann ein Grab trockene Bedingungen haben, zum Beispiel durch die Lage unter einem Nadelbaum oder im Wurzelbereich einer Birke oder wenn das Grab windexponiert beziehungsweise in der Sonne liegt.

Sonniger Standort

Sonnige Grabplätze gibt es besonders auf neuen Friedhöfen oder Erweiterungen. Meist sind sie auch ungeschützt austrocknenden Winden ausgesetzt. Für diese Standorte können Sie nur Pflanzen auswählen, die daran angepasst sind (siehe Seite 32 bis 35). Sie kommen natürlicherweise nur in offenen Pflanzengesellschaften vor, in Wüsten, Steppen, Tundren, Hochlagen der Gebirge und an Wegrändern.

Halbschattiger Standort

Halbschattige Gräber liegen entweder dauerhaft im lichten Schatten eines Baumes, zum Beispiel einer Birke oder Lärche, oder werden den halben Tag lang beschattet. Alle Pflanzen, die natürlicherweise in der Hecke, am Waldrand oder in lichten Laubwäldern wachsen, eignen sich dafür (siehe Seite 38/39). Hier sind Klimaschwankungen abgemildert, die Lichtmenge ist reduziert.

Licht- und Schattenspiele im Halbschatten

Schattiger Standort

Schattige Grabplätze findet man oft auf alten Friedhöfen unter großen Bäumen. Nehmen Sie nur Pflanzen, die mit dem erheblich reduzierten Lichteinfall zurechtkommen. Dies sind hauptsächlich Pflanzen der Laub- und Nadelwälder (siehe Seite 42/43). Sie müssen den Laubfall tolerieren, dem Wurzeldruck der Gehölze standhalten, die Bodenversauerung und Trockenheit unter Koniferen vertragen sowie unter dem Kronenrand von Laubbäumen auch das Tropfen bei Regen ertragen.

Waldfriedhöfe nehmen dem Grabbeet viel Licht, sorgen aber auch für ein ausgeglichenes Klima und geben den Trauernden Geborgenheit.

Bodenvorbereitung und -schutz

Nachdem das Grabmal gesetzt und der Grabhügel eingeebnet wurde, können die vorbereitenden Arbeiten für die Pflanzung gemacht werden. Je nach Bodentyp und gewählter Bepflanzung werden jetzt Zuschlagstoffe (siehe Tabelle unten) in die obersten 10 bis 20 cm Graberde eingearbeitet. Diese Arbeit kann körperlich sehr anstrengend sein, und der Materialbedarf ist oft größer als erwartet. Es ist deshalb zu überlegen, ob man diese Arbeiten einen Gärtner machen oder sich von einem kräftigen Menschen helfen lässt.

Geebnetes Grabbeet vor der Bepflanzung

Graberde beurteilen und und verbessern

Die chemische Zusammensetzung des Bodens und die Bodenstruktur sind außerordentlich wichtige Faktoren für das Pflanzenwachstum. Die Bodenstruktur ist verantwortlich für die Versorgung der Pflanzenwurzeln mit Luft und Wasser. Entsprechend ihrem Anteil an gröberen und feineren Partikeln teilt man die Bodenarten in Sand-, Lehm- und Tonböden ein.

Böden mit gemischten Korngrößen weisen ein günstiges Verhältnis luftführender Grob- und wasserführender Feinporen auf. Die Nährstoffe sind an die Ton-Humus-Komplexe gebunden, Verbindungen von Tonteilchen und verrottenden organischen Substanzen. Zuschlagstoffe helfen sowohl die Bodenstruktur als auch die Nährstoffversorgung zu verbessern. Sand lockert lehmige Böden, während Gesteinsmehle und Bentonit fehlende Lehm- und Tonteilchen bei sandigen Böden ersetzen. Kompost lockert die Struktur, fördert das Wasserspeichervermögen und wirkt düngend. Hornspäne sind bei extrem verarmten Böden besonders unter Nadelbäumen als Langzeitdünger und Rotteförderer nötig. Kalk hebt den pH-Wert bei sehr sauren Böden. In keinem Fall muss der Boden des Grabbeetes so aussehen wie im Blumentopf und vollständig gegen gekaufte Erde ausgetauscht werden.

Bodentypen und empfohlene Zuschlagstoffe

Bodentyp	Zuschlagstoffe	Menge/m²
Sandige Böden	Kompost, Rindenkompost Gesteinsmehl, Bentonit	40–80 Liter 50–200 Gramm
Lehmige Böden	Gewaschener Sand Kompost, Rindenkompost	30–50 Liter 30–50 Liter
Humose, lockere Böden	Sand Gesteinsmehl, Bentonit ggf. Kalk, Kalkschotter	30–50 Liter 50–200 Gramm 50–200 Gramm
Böden unter Bäumen	Rindenkompost, Kompost Hornspäne Kalk, Holzasche	30–50 Liter 50–100 Gramm 50–200 Gramm

Kleine Steine stören ebenso wenig wie eine gewisse uneinheitliche Struktur. Wählen Sie die Zuschlagstoffe nach dem Bodentyp und der geplanten Bepflanzung aus. Es ist völlig ausreichend, die obersten 10 bis 20 cm der Graberde damit gut zu vermischen. Beim Pflanzen größerer Gehölze wird eine Extragabe Kompost ins tiefere Pflanzloch gegeben. Sogenannte „Graberde“ in Säcken ist nicht nötig, Sand und Rindenkompost kann man preiswert eimerweise beim Baustoffhändler oder in Säcken im Baumarkt erwerben.

EXPERTEN-TIPP

Eine ausreichend genaue pH-Analyse des Bodens können Sie leicht selbst vornehmen, indem Sie einen Teelöffel Boden mit einer Tasse destilliertem Wasser (Leitungswasser geht zur Not auch) in einem sauberen Gefäß vermischen und ein Indikatorstäbchen aus der Apotheke hineinhalten. Werte unter 6 weisen auf sauren, über 8 auf basischen Boden hin.

Im Allgemeinen kann man sagen, dass sich viele Pflanzen sehr gut an unterschiedliche Bodenverhältnisse anpassen können. Eine Verbesserung der Bodenstruktur ist aber trotzdem oft sinnvoll. Der wichtigste Bodenverbesserer ist der Humus. Darunter werden alle Verrottungsprodukte von Pflanzen verstanden, also auch Kompost. Er lockert die lehmige und tonige Erde und fördert damit die Durchlüftung. In mageren und sandigen Böden erhöht er das Wasserspeichervermögen und stellt zudem eine Langzeitdüngung dar. Und selbst bei Waldböden und bei Böden unter Bäumen kann die Beigabe von Kompost oder Rindenhumus zusammen mit Hornspänen eine sinnvolle Maßnahme sein, denn diese Böden sind oft ausgelaugt und stickstoffarm.

Verschiedene Pflanzenarten und -sorten haben unterschiedliche Bodenansprüche. So braucht zum Beispiel eine heimische Pflanze des Laubwaldes neutralen bis leicht basischen, humusreichen Boden. Gärtnerische Zuchtformen und hier angebotene Exoten sind oft auf Einheitserde gezogen. Dies ist eine Standardmischung, die Sie in Säcken kaufen können, die aber meist Torf enthält. Eine gute Gärtnerei informiert Sie über die Bodenansprüche der Pflanzen, aber auch Pflanzenkataloge und Bestimmungsbücher helfen hier weiter. Die meisten heimischen Pflanzen tolerieren pH-Werte zwischen 5,5 und 8. Ist der Boden saurer, geben Sie Kalk, zum Beispiel Algenkalk oder Kalksplitt, hinzu.

Die Mulchdecke aus Holzhäcksel schützt den Boden vor Schlagregen und dem Austrocknen. Zudem unterstreicht er die natürlich wirkende Bepflanzung (vor der Hecke).

Manche Versandgärtnereien stellen Ihnen sogar standortgerechte Pflanzenpakete nach Ihren Angaben und Wünschen zusammen (siehe Adressen). Schicken Sie ihnen dazu ein Foto des Grabplatzes und möglichst genaue Angaben über Boden (oder eine Bodenprobe) und die Klimaverhältnisse am Grabplatz. Auch Ihre oder die Vorlieben des Verstorbenen können bei der Pflanzenauswahl berücksichtigt werden.

Beet abdecken und schützen

Ist der Boden vorbereitet und das Grabbeet bepflanzt, muss es mit einer Mulchdecke geschützt werden. Diese verhindert rasches Austrocknen, Verschlämmen bei starkem Regen und Gießen sowie Windverwehungen und mildert starke Temperaturschwankungen. Sie unterdrücken das Aufkommen unerwünschter Wildkräuter und sparen eine Menge Arbeit durch weniger Aufwand beim Hacken und Gießen. Außerdem kann eine farblich zum Grabmal und/oder der Bepflanzung abgestimmte Mulchdecke sehr gepflegt aussehen, sie erleichtert das Betreten des Grabbeetes und verhindert schmutzige Schuhe. Um die gewünschte Wirkung zu erzielen, ist eine Schicht von 2 bis 3 cm Dicke nötig, was bedeutet, dass Sie für ein Einzelgrab etwa 80 Liter, für ein Doppelgrab etwa 160 Liter Material benötigen.

Organische Mulchmaterialien wie Kompost oder Rindenhumus stellen außerdem eine Langzeitdüngung des Bodens dar. Anorganische Mulchmaterialien können je nach Gesteinsart den pH-Wert des Bodens verändern. Abdeckmaterialien haben aber auch dekorativen Wert und können zusammen mit passenden Steinen oder Holzstücken ein Grabbeet gliedern und die optische Wirkung der Pflanzen steigern.

Experten-Tipp

Kriechende, ausläufertreibende Pflanzen, sogenannte Bodendecker, haben den gleichen positiven Einfluss auf den Boden wie Mulchmaterialien, sie müssen nur oft zurückgeschnitten und können in der Regel nicht betreten werden.

Thymian als Bodendecker

Abdeckmaterialien für Grabbeete

Material	Korngröße/Farbe	Bodenbeeinflussung	Geeignet für Standort
Quarzsand	0–2 mm/Hellgelb	Neutral	Sonnig, trocken
Quarzkies	3–15 mm/Hellgelb, Ocker	Neutral	Sonnig bis halbschattig
Splitt	6–12 mm/ Grau, Ocker, Braun	Neutral bis basisch	Halbschattig
Kalksplitt	0–30 mm/Hellgrau	Basisch	Sonnig, trocken
Rindenkompost	0–2 mm/Dunkelbraun	Neutral, düngend	Halbschattig bis schattig
Rindenschnitzel	0–50 mm/Dunkelbraun	Sauer, Stickstoff zehrend	Schattig
Holzhäcksel	0–30 mm/Hellbraun	Neutral, Stickstoff zehrend	Halbschattig bis schattig
Bodendeckerpflanzen	Kleinblättrig/ Grün, teilweise blühend	Neutral; brauchen Pflege, Nährstoffe und Wasser	Sonnig bis schattig

Gestaltung und Bepflanzung

Doppelgrabstätten

Doppelgrabstätten mit ihrer annähernd quadratischen Form und einer Fläche von etwa 6 m² lassen eine relativ großzügige Gestaltung zu. Allerdings kann man das Grabbeet nicht von allen Seiten erreichen, was sowohl die Bepflanzung als auch die Pflege erschwert. Friedhofsgärtner empfehlen eine Bedeckung des zweistelligen Grabbeetes zu 60% mit Bodendeckern, zu 25% mit Rahmenpflanzung (alle dauerhaften Pflanzen außer Bodendeckern) und zu etwa 15% mit Wechselbepflanzung (Saisonpflanzen). Außerdem werden Trittplatten für die Pflegearbeiten und Schalen für besondere Feiertage empfohlen.

Flächengliederung

Eine Flächengliederung, die das Begehen des Beetes zulässt, ist ratsam. Durch diagonale Teilung des Beetes mit einem begehbaren Weg kann man es zum Beispiel untergliedern und gleichzeitig zugänglich machen. Mit Bodendeckern, Abdeckmaterialien und Saisonpflanzen lässt sich das Beet weiter unterteilen. Eine einheitliche flächige Bepflanzung kann man aber auch mit Steinplatten, Holzscheiben und gemulchten, betretbaren Stellen begehbar machen.

Unbepflanzte Stellen, die man zum Betreten für Pflegearbeiten benötigt, können auch gelegentlich Pflanzgefäße für Saisonblüher aufnehmen.

Bei der Wahl der Formen für Materialien und Beete sollte man nicht willkürlich verschiedene verwenden, sondern besser ein und dieselbe Form variieren.

Eine klare Flächenaufteilung mit einer begehbaren „Insel" als Mitte erleichtert die Pflege ebenso wie die Saisonbepflanzung in Wegnähe. Die Dauerbepflanzung aus Gehölzen und Gräsern ist dem Grabmal zugeordnet, der Steinhaufen weist darauf hin.

Höhengliederung

Die Höhengliederung der Fläche wird mit den Rahmenpflanzen oder Leitgehölzen erreicht. Bei deren Auswahl richtet man sich nach Größe und Position des Grabmals. Daneben werden höhere und kompaktere Solitärpflanzen, meist Zwerggehölze, gesetzt, davor flach wachsende, um einen gestuften Übergang zum flachen Beet zu schaffen.

Aber auch farblich passende Steine am Fuß des Grabmals können einen reizvollen, natürlich wirkenden Übergang vom vertikalen Stein zur flächigen Bepflanzung bilden.

Gestaltung mit Blattpflanzen

Auch mit Form und Farbe des Blattwerks lassen sich raumgliedernde Effekte erzielen. Setzen Sie Pflanzen mit großen Blättern in Beziehung zu solchen mit filigranem Laub. Immergrüne kompakte Pflanzen wirken als Gegengewicht zum Stein, niedrige vor dem Grabmal höhengliedernd. Vor ein kompaktes Grabmal gepflanztes filigranes Laub kann diesem Leichtigkeit verschaffen. Ebenso können Pflanzen mit mehr horizontalem Wuchs solchen mit vertikaler Wuchsform gegenübergestellt werden, wobei die höheren stets in die Nähe des Grabmals, die niedrigeren mehr in den

Die niedrige Bepflanzung aus Polsterstauden ist um das zentrale Grabmal angeordnet, der Plattenbelag gliedert die Fläche und erleichtert die Pflege.

Vordergrund gehören. Sowohl kontrastierende als auch miteinander harmonierende Farben gliedern das Grabbeet. Buntlaubige Arten und Sorten setzen zwar Akzente, sollten jedoch zurückhaltend verwendet werden. Im Winter bestimmen Grabmal und immergrüne Pflanzen sowie die Abdeckmaterialien allein die Fläche. In der Vegetationszeit dominieren die sommergrünen Gewächse und deren Blüten das Bild.

Üppiger Bewuchs mit pflegeleichten dekorativen Zwerg- und Halbgehölzen sowie Polsterstauden in gelungener Höhenstaffelung

Einzelgrabstätten

Die längliche Fläche von 3 m² beim Wahl- und 2,6 m² beim Reihengrab ist schwieriger zu gestalten als eine Doppelgrabstätte, zumal ein aufrecht stehendes Grabmal die schmale Form noch betont. Eine diagonale Flächengliederung oder eine Mittenbetonung lassen die Grabfläche dagegen optisch breiter erscheinen.

So kann man beispielsweise in der Mitte des Grabes ein rundes oder querovales Beet platzieren, das sich gut für eine Wechselbepflanzung eignet. Auch eine Rhombusform täuscht mehr optische Breite vor, muss aber sorgfältig ausgeführt werden.

Die Betonung der Diagonalen mit grobem Schotter im vorderen und hinteren Bereich des Grabbeetes sowie die diagonale Bepflanzung schaffen optische Breite und binden das Grabmal ein.

Schön, symbolisch und zudem praktisch für die Grabpflege ist ein begehbarer geschwungener Weg zum Grabstein hin. Betont man die Kurven mit kleinen immergrünen Gehölzen oder Gräsern, bekommt das Grabbeet sowohl optische Tiefe als auch Breite.

Mit Bodendeckern oder Gräsern, die den Rand unregelmäßig überlappen, kann man eine Einfassung in geschwungenen Linien pflanzen. Aber auch mit Kies oder Splitt lassen sich schöne Formen gestalten.

Höhengliederung

Man beurteilt die Höhengliederung am besten aus der Perspektive des stehenden Betrachters am Fuße des Grabes. Höchster Punkt wird meist das stehende Grabmal sein. Eine abgestufte dauerhafte Bepflanzung bindet es in die sich anschließende Flächenbepflanzung ein.

Asymmetrisch gepflanzte Zwerggehölze nehmen dem Grabmal die Strenge. Immergrüne lassen die Höhengliederung auch im Winter sichtbar werden.

Ein quadratisches Saisonbeet im Mittelpunkt dient hier der Raumaufteilung. Das Beet wird von immergrünen Gräsern und Bodendeckern eingefasst, damit es auch im Winter das Grab gliedert. Die Rhombusform lässt das Beet breiter und kürzer erscheinen, besonders da auf die Spitzen rechts und links verzichtet wurde.

Der flächige Bodendecker täuscht mehr Breite vor und lässt die Fläche sehr ruhig erscheinen, die Blüten setzen Akzente und weisen den Weg zum Grabmal.

Saisonale Bepflanzung

Das Saisonbeet kann direkt im Anschluss an das Grabmal beginnen, kann aber auch in der Mitte oder am Fuße des Grabbeetes liegen.

Probieren Sie vorher aus, wie Sie es am besten erreichen, denn hier fällt die meiste Pflegearbeit an. Trittflächen sind aber in der Regel beim einstelligen Grab nicht nötig, da sich die Fläche von den Rändern her pflegen lässt. Anstelle eines Saisonpflanzenbeets kann man sich auch auf eine bepflanzte Schale beschränken, die nach Jahreszeiten oder zu besonde-ren Anlässen neu bestückt wird (siehe Seite 50 bis 58).

Die Raumgestaltung wird von Größe und Masse des Grabmals sowie den größeren Pflanzen bestimmt, während Bodendecker und Mulchmaterialien die Fläche gliedern.

Farbwirkungen

Aus den Farben des Grabmals, der Wege, den Nachbargräbern, der Bodenabdeckung und den Lichtverhältnissen ergeben sich unterschiedliche Farbwirkungen. Es gibt aggressive und ruhige sowie sich ergänzende und miteinander kontrastierende Farben.

Pflanzen wirken durch ihre Größe und Struktur, durch Blatt- und Blütenfarben sowie durch Beeren und Samenstände. Da sich diese im Verlaufe der Jahreszeiten ändern, ergeben sich saisonal unterschiedliche Bilder. Beschränken Sie sich bei der Pflanzung von Bodendeckern auf eine Art oder verzichten Sie ganz darauf, wenn die verbliebene Fläche zu klein erscheint.

Die Auswahl von Blatt- und Blütenfarben für ein würdiges Grabbeet verlangt viel Fingerspitzengefühl. Vermeiden Sie knallige, aggressive Farben, denn gut aufeinander abgestimmte Farbtöne lassen eine Fläche größer erscheinen.

Saisonblumen und farbiges Laub der Dauerbepflanzung am Fuß des Grabmals sollten mit dessen Farbe harmonieren.

Höhere Rahmenpflanzen werden dem Grabmal zugeordnet, niedrigere werden an den Fuß gesetzt, ohne die Inschrift zu verdecken. Harte Kanten und Ecken können durch bizarre Wuchsformen oder in Kugelform geschnittene Immergrüne optisch gebrochen werden. Bedenken Sie beim Kauf der Pflanzen immer auch den Zuwachs und den Pflegeaufwand und beschränken Sie sich auf wenige Arten, damit die Fläche nicht zu unruhig wirkt.

EXPERTEN-TIPP

Friedhofsgärtner empfehlen eine Bedeckung des einstelligen Grabbeetes zu ungefähr 50 % mit Bodendeckern, zu 15 % mit Rahmenpflanzen und zu etwa 35 % mit einer Wechselbepflanzung. Es sollte möglichst eine optische Verbindung zum Nachbargrab gesucht werden.

Kindergrabstätten

Kinder werden bis zum 1. Lebensjahr in Grabstätten von 60 x 120 cm, auf manchen Friedhöfen auch auf Urnengrabfeldern bestattet. Vom 2. bis zum 5. Lebensjahr werden meist Kindergräber mit den Abmessungen 90 x 150 cm angeboten, ab dem 6. Lebensjahr Reihen- oder Wahlgräber mit den üblichen Abmessungen. Kinder können aber auch in Wahlgräbern verwandter Verstorbener bestattet werden, wenn es die Ruhefristen zulassen.

Grabmale für Kinder unterliegen meist keinen strengen Gestaltungsvorschriften. Es ist aber nicht leicht, ein würdiges und dennoch einem Kind angemessenes Grabzeichen zu gestalten. Individuell gefertigte kleine Kissensteine, Kugeln oder Stelen aus hellem Stein oder Holz eignen sich hier.

Auf Kindergräbern findet man auch immer wieder Spielsachen, weniger als Dekoration denn als Abwandlung ursprünglicher Grabbeigaben. Obwohl sie aus Kunststoff bestehen und damit gegen die meisten Friedhofsverordnungen verstoßen, werden sie meist eine Zeitlang toleriert.

Die Dauerbepflanzung aus einem Zwerggehölz (Zwerg-Mandel) und vier Stauden (Akelei, Dalmatinischer Storchschnabel) gruppiert sich um das kugelförmige Grabmal, immergrüne Gräser (Blaugrünes Schillergras) trennen das Saisonpflanzenbeet ab.

Farbenfrohe Dauer- und Wechselbepflanzung mit lila Herbst-Astern, rosa Grasnelken, orangefarbenen Tagetes und blauvioletten Lobelien auf einem Kindergrab mit Kissenstein.

Die beiden Kindergrabstätten sind mit niedrigen dauerhaften Polsterstauden bepflanzt (Pflanzskizze für linkes Grab siehe S. 27 oben).

Kleine heimische Symbolpflanzen für Kindergrabbeete

Name	Standort	Bedeutung
Gänseblümchen (*Bellis perennis*)	Sonnig bis halbschattig	Unschuld, Bescheidenheit, ewiges Leben
Maiglöckchen (*Convallaria majalis*)	Halbschattig bis schattig, frisch humos	Sinnbild der Jugend und reinen Liebe
Vergissmeinnicht (*Myosotis sylvatica*)	Halbschattig, frisch	Sinnbild des Nichtvergessens
Schlüsselblume (*Primula veris*)	Sonnig bis halbschattig, frisch humos	Schlüssel zum Himmelstor
Kleines Immergrün (*Vinca minor*)	Halbschattig bis schattig, frisch humos	Ewigkeitssymbol, früher als Kränze für tote Säuglinge
Veilchen (*Viola odorata*)	Halbschattig bis schattig	Sinnbild der Bescheidenheit

Bepflanzung

Bei der Bepflanzung überwiegt die Wechselbepflanzung, die durch den hohen Pflegebedarf der Möglichkeit aktiver Trauerarbeit am meisten entgegenkommt. Verschiedene kleine Blütenpflanzen kontrastierender Farben, bunt gemischt wie ein eben gepflückter Strauß oder in Mustern gepflanzt, die an geflochtene Kränze oder den Rhythmus von Kinderreimen und -liedern erinnern, sind ebenso passend wie Pastelltöne anmutiger Pflanzen mit duftigen Blütenständen und zierlichem Laub.

Kleinwüchsige Steingartenpflanzen eignen sich gut für ein Kindergrab, von oben nach unten: Buchs (Buxus sempervivens), *Sand-Thymian* (Thymus serpyllum), *Zwerg-Storchschnabel* (Geranium dalmaticum), *Gänseblümchen* (Bellis perennis), *Günsel* (Ajuga reptans), *Grasnelke* (Armeria maritima), *Hauswurz* (Sempervivum tectorum), *Polster-Phlox* (Phlox subulata).

Weitere Symbole für die Grabgestaltung

Auch Formen und Farben sind von symbolischer Bedeutung, die meisten dieser Symbole sind viel älter als das Christentum und gelten weit über unsere Kulturgrenzen hinaus. So drückt beispielsweise der Kranz unendliches Leben aus, da er ohne Anfang und Ende ist. Das Herz zeigt Liebe und Zuneigung, Tränen- und Tropfenformen (zum Beispiel als Blüten) weisen ebenso wie hängende Pflanzen auf Trauer und Verlust hin. Das Kreuz und der Fisch sind Zeichen des Christentums.

Bei den Farben wird Weiß als Symbol für Reinheit, Jugendlichkeit und Friede bei Kindergräbern bevorzugt. Blau steht für Treue, Grün für Leben und Entwicklung. Die Farben Gelb und Orange stehen für Sonne und Wärme, während Rot als die Farbe der Liebe bekannt ist. Statt alle Farben auf einmal zu verwenden, sollten Sie sich auf zwei bis drei Farben und Weiß beschränken und die Farbzusammenstellung mit den Jahreszeiten wechseln.

Besonders ausdrucksvoll ist eine Grabgestaltung, wenn passende Symbole und Farben mit Form und Farbe des Grabmals, der Dauerbepflanzung und dem jahreszeitlichen Grabschmuck harmonieren.

Urnengrabstätten

Mehr noch als bei einstelligen Gräbern dominiert beim Urnengrab das Grabmal die Gestaltung. Es steht oder liegt meist in der Mitte der quadratischen Fläche. Für viele verschiedene Pflanzen bleibt bei ungefähr 1 m² Gesamtfläche bei Urnen-Reihengräbern oder 1,5 m² bei Urnen-Wahlgräbern nicht mehr viel Platz. Um so mehr ist die Harmonie zwischen Grabmal und Bepflanzung wichtig.

Auch eine Unterscheidung in Rahmenbepflanzung und Saisonbeet ist hier nicht sinnvoll, vielmehr beschränkt man sich besser auf einige wenige Pflanzenarten, die zu jeder Jahreszeit schön aussehen. Immergrüne Bodendecker alleine lassen ein künstlerisches Grabmal gut zur Geltung kommen, auf einen Platz für Grabschmuck zu besonderen Anlässen sollten Sie aber auch hier nicht verzichten. Bedenken Sie also am besten schon vor der Wahl des Grabmals, wie dieses später mit der Bepflanzung harmonieren soll.

Symmetrische Bepflanzung mit Zwerggehölzen (Purpur-Geißklee), Gräsern (Berg-Segge), Stauden (Kuhschelle, Alpen-Nelke) und Bodendeckern (Sternmoos)

Durch eine asymmetrische Bepflanzung und Höhenstaffelung mit ausdauernden Pflanzen sowie Saisonpflanzen lässt sich ein Urnengrab gestalten.

Pflanzen mit Bedeutung

Bei allem Gestaltungsanspruch darf die innere Nähe zum Verstorbenen nicht vergessen werden. Besonders Pflanzen mit symbolischem Sinngehalt drücken Verbundenheit aus, vor allem wenn sie auf Lebensdaten, Vorlieben oder die Glaubensrichtung des Toten hinweisen.

Einzelpflanzen besaßen schon lange vor dem Aufkommen des Christentums kultische Bedeutungen, die sich auch heute noch in manchen Pflanzennamen wiederfinden. Da Symbole aber der menschlichen Fantasie entspringen und deren Deutung immer mit der Lebenserfahrung des Betrachters einhergehen, kann man darunter auch jedes Zeichen verstehen, das jemandem etwas bedeutet. So kann die Pflanzung auf der Grabstätte zum Beispiel die Naturliebe des Verstorbenen ausdrücken oder den Lauf der Jahreszeiten symbolisieren, indem sie naturnah und den heimischen Jahreszeiten entsprechend gestaltet ist.

Selbst auf der kleinen Fläche von nur einem Quadratmeter finden viele verschiedene kleinwüchsige Pflanzen Platz. Wichtig ist, dass der Boden mager ist und nicht gedüngt wird. So schießen die Pflanzen nicht ins Kraut und bleiben kleinwüchsig, wie es ihrer Natur entspricht. Auch der Wasserbedarf reduziert sich bei Verzicht auf Düngung und die Anfälligkeit für Schädlinge nimmt ab. Eine passende Mulchdecke aus mineralischem Splitt zwischen den Pflanzen hält den Boden auch im Sommer feucht und reduziert den Pflegeaufwand.

Urnengrab mit Sandsteinstele, eingerahmt von Symbolpflanzen, die den vier Jahreszeiten zugeordnet sind (Pflanzplan siehe Grafik rechts)

*Auf diesem Urnengrab finden 13 Pflanzenarten Platz, wobei jeder Ecke eine Jahreszeit zugeordnet ist. Das immergrüne Silbergras (*Corynephorum canescens*) trennt die Flächen.* **Frühling (1):** *Immergrüne Iris (*Iris foetidissima*), Narzisse und Leberblümchen.* **Sommer (2):** *Essigrose (*Rosa gallica*), Zwerg-Iris (*Iris reticulata*) und Behaarter Günsel (*Ajuga genevensis*).* **Herbst (3):** *Grönland-Margerite (*Chrysanthemum arctium *'Roseum'), Römische Kamille und Feld-Thymian.* **Winter (4):** *Buchsbaum, Gelbes Windröschen (*Anemone ranunculoides*) und Großes Windröschen (*A. sylvestris*).*

Ausdauernde kleine Symbolpflanzen für Urnengrabbeete

Name	Standort	Bedeutung
Akelei (*Aquilegia vulgaris*)	Halbschattig, frisch	Marienpflanze, Heilsbringer
Buchsbaum (*Buxus sempervivens*)	Sonnig bis schattig	Unsterblichkeit, ewiges Leben
Nelke (*Dianthus*-Arten)	Sonnig, trocken	Totenblume der Antike, wahre und reine Liebe
Schneeglöckchen (*Galanthus nivalis*)	Halbschattig bis schattig, frisch	Frühlingshoffnung
Efeu (*Hedera helix*-Sorten)	Sonnig bis schattig	Unsterblichkeit, ewiges Leben
Narzisse (*Narcissus*-Arten/-Sorten)	Sonnig	Sinnbild für Verwandtschaft des Todes mit dem Schlaf
Rose (*Rosa*-Arten/-Sorten)	Sonnig	Sinnbild für Dornenkrone Christi, Abwehr des Bösen
Stiefmütterchen (*Viola tricolor*)	Sonnig bis halbschattig, frisch	Dreifarbigkeit als Sinnbild der Trinität

Bepflanzung von Grabbeeten

Der Zeitpunkt einer Pflanzung kann von März bis November gewählt werden. Für eine Neuanlage ist das späte Frühjahr der günstigste Zeitpunkt, denn das Angebot an Stauden ist dann am größten. Der Boden ist jetzt feucht und kann gut mit Handgeräten gelockert werden.

Bepflanzung Schritt für Schritt

Zuerst arrangieren Sie die Pflanzen in ihren Töpfen so auf dem geebneten Grabbeet, wie sie gepflanzt werden sollen. Die dauerhaften Leitgehölze zuerst, danach die immergrünen Gräser und Farne. Achten Sie bei den Stauden auf Höhe und Blütezeitpunkt, damit ein harmonisches Bild entsteht und zu jeder Jahreszeit an verschiedenen Stellen etwas blüht. Betrachten Sie das Arrangement im Stehen von vorne und korrigieren Sie es, wenn nötig, nochmals. Denken Sie an den Zuwachs der Pflanzen, an betretbare Stellen auf dem Grabbeet für die Pflege und an einen gut erreichbaren Platz für eine Schale oder Vase.

Sind Sie mit der Anordnung zufrieden, werden an den entsprechenden Stellen mit der Pflanzschaufel oder -kelle Pflanzlöcher gegraben, die etwas größer sein sollten als der Wurzelballen. Zum Austopfen wird der Kunststofftopf mit den Händen zusammengedrückt, bis sich die Pflanze leicht herauslösen lässt. Ein gut durchwurzelter und feuchter Ballen fällt dabei nicht auseinander. Nun setzen Sie den Ballen ins Pflanzloch und drehen die Pflanze so, dass die schönste Seite zum Betrachter zeigt. Sie soll genauso tief gepflanzt werden, wie sie auch im Topf saß. Gegebenenfalls sollten Sie das Loch noch etwas vertiefen oder Erde auffüllen. Hat die Pflanze ihren richtigen Platz gefunden, was Sie immer mal wieder durch Zurückkehren an den Betrachterstandort überprüfen sollten, wird der

EXPERTEN-TIPP

Verwenden Sie zum Angießen eine 2 bis 4 Liter fassende Kindergießkanne ohne Brausetülle. Sie ist leichter in der Handhabung und Sie können mit dem engen Schnabel feiner dosieren. Andere geeignete Geräte sind eine kleine Handschaufel aus Metall, eine Handhacke, ein kleiner Drahtbesen, eine Gartenschere und Handschuhe.

Der Boden ist geebnet und gelockert worden, Bodenverbesserungsmittel wurden bereits beigegeben. Die Oberfläche des vorbereiteten Beetes sollte einen Fingerbreit unter der Einfassung liegen.

Die Pflanzen werden in Töpfen an die geplante Pflanzstelle gestellt und ausgerichtet, bis die Anordnung stimmt. Beachten Sie dabei die zu erwartende Wuchshöhe ebenso wie die Blühzeit und -farbe.

Zeitliche Reihenfolge für die Grabgestaltung

- Die Gestaltung des Grabbeetes mit Grabmal, Bepflanzung und Grabschmuck wird geplant.
- Ein Grabmal mit Beschriftung (eventuell auch eine Einfassung) wird in Auftrag gegeben.
- Sobald das Grabmal gesetzt und der Grabhügel eingeebnet ist, kann der Boden für die Bepflanzung vorbereitet werden.
- Ein genauer Pflanzplan und eine Liste mit den benötigten Pflanzen und Materialien erleichtern den Kauf und die Bepflanzung.
- Nach dem Mulchen und Dekorieren wird das bepflanzte Grabbeet einige Wochen lang gründlich gegossen.
- Je nach Jahreszeit fallen nun Pflegearbeiten und das Schmücken mit Saisonpflanzen und Grabschmuck an.

Ballen festgedrückt, indem Sie Erde von der Seite und von oben mit den Fingern an den Ballen schieben, aber niemals auf den Ballen selbst drücken. Dadurch entsteht ringförmig um den Pflanzballen eine Vertiefung, die als Gießrand dient.

Das nun folgende Angießen ohne Brausetülle dient dem ersten Wässern und dem Anschlämmen feiner Bodenpartikel an die Feinwurzeln. Denn nur Wurzeln mit direktem Bodenkontakt können das Kapillar- und Haftwasser aufnehmen. Sind alle Pflanzen angegossen, wofür Sie pro Staude etwa 0,5 Liter, pro kleines Gehölz etwa 2 Liter Wasser benötigen, können Sie den Boden zwischen den Pflanzen mit einem kleinen Handrechen ebnen. Danach sollten Sie die Mulchmaterialien zwischen die Pflanzen kippen und flächig ausbreiten. Das geht am besten mit einem Eimer und der flachen behandschuhten Hand. Danach wässert man nochmals durchdringend mit der Gießbrause und reinigt dabei den Rand des Grabbeetes. Das Wässern mit der Brause muss nun einige Wochen lang je nach Witterung alle paar Tage wiederholt werden, wobei Sie ungefähr 10 Liter pro m^2 Beetfläche benötigen.

Änderungen

Korrekturen des Arrangements können Sie auch noch Wochen nach der Pflanzung vornehmen. Schieben Sie dazu das Mulchmaterial beiseite, graben Sie den Wurzelballen vorsichtig wieder aus und heben Sie die Pflanze am Ballen aus dem Pflanzloch. Das Wiedereinpflanzen erfolgt wie oben beschrieben.

Das Einpflanzen und Mulchen sollte man gleichzeitig und dabei rückwärtsgehend erledigen, damit man die Pflänzchen nicht versehentlich zertritt.

Nach einigen Wochen im Frühsommer sind die Stauden gewachsen und beginnen zu blühen. Sie können aber dennoch Korrekturen vornehmen, sollten dabei jedoch das neue Angießen nicht vergessen.

Sonnige Grabbeete

Auf sonnigen Grabstätten sehen auf das Grabmal abgestimmte, symmetrische oder ornamentale Anordnungen besonders schön aus. Es darf auch ruhig unbepflanzte gemulchte Flächen geben, das lässt das Beet größer erscheinen. Als Bodendecker können polsterbildende und trockenresistente Stauden wie Thymian, Sonnenröschen, Steinbrecharten oder Grasnelken dienen.

Sonnenliebende Pflanzen haben meist helles, silbrig glänzendes oder behaartes Laub und schmale Blätter. Auch stehen sie oft auf Lücke, da der Wurzelballen größer ist als die oberirdischen Pflanzenteile. Diese Pflanzen überdauern problemlos einige Wochen Sommerhitze, selbst wenn sie nicht gegossen werden. Eine mineralische Mulchdecke hilft ihnen, Trockenheit zu überstehen.

Harmonisches Ganzes aus Sandsteingrabmal, trockenresistenten, ausdauernden Stauden für magere Standorte sowie Sand und Sandsteinschotter als Mulchdecke

Die sonnenhungrige Kletterrose harmoniert in Wuchsform und Blütenfarbe perfekt mit dem Grabmal aus geschmiedetem Eisen.

Passend zum Grabmal und zum natürlichen Standort der Pflanzen sieht eine Sand-, Splitt- oder Kiesdecke besonders dekorativ aus. Beachten Sie aber bei der Auswahl der Rahmenpflanzen, dass stets eine blühende oder Fruchtschmuck tragende Pflanze das Grab dekoriert. Dann können Sie sogar auf eine Wechselbepflanzung verzichten. Die Pflege beschränkt sich hier auf gelegentliches Auslichten zu stark wachsender Stauden.

EXPERTEN-TIPP

Trockenresistente Pflanzen aus Südeuropa überstehen auch strenge Winter schadlos, wenn die Erde mager und wasserdurchlässig ist, die Pflanzen nicht gedüngt werden und das Beet im Winter nicht mit Reisig abgedeckt wird.

Die richtige Pflanzenauswahl erspart das Giessen

Sonnige Standorte sind häufig auf neuen Friedhöfen bzw. Erweiterungsflächen zu finden. Sie haben den Vorteil, dass dort viele schöne Pflanzen wachsen, aber auch den Nachteil, dass im Sommer viel gegossen werden muss, wenn man die übliche Friedhofsbepflanzung auf Fertigerden und ohne Mulchdecke bevorzugt. Wesentlich sinnvoller ist es jedoch dort, Überlebenskünstler trockener Standorte zu pflanzen, besonders wenn man im Sommer in den Urlaub fährt oder einem das Tragen der Gießkannen schwerfällt. Viele Sukkulenten, wie *Sedum*- und *Sempervivum*-Arten, benötigen selbst im Hochsommer wochenlang keinerlei Gießwasser und man kann mit ihren unterschiedlichen Formen und Blattfarben abwechslungsreiche Beete gestalten (siehe Bild S. 36). Auch mediterrane Halbgehölze, wie Lavendel, Salbei, Heiligenkraut und Thymian, haben reizvolles, immergrünes Laub und überstehen lange Trockenperioden schadlos. Zudem blühen und duften sie angenehm und locken Hummeln und Schmetterlinge an.

Vorbilder für naturnahe Bepflanzungen können Steppen und Magerrasen sein. Für alle genannten trockenresistenten Pflanzen ist es aber wichtig, dass vorher die Bodenverhältnisse entsprechend angepasst werden. Denn die Pflanzen vertragen auf keinen Fall Staunässe an den Wurzeln und nasse Füße im Winter. Am besten ist eine magere sandige, gut wasserdurchlässige Erde. Ist sie zu lehmig, kann man sie mit gewaschenem Sand und/oder Splitt bzw. Kalksplitt oder vulkanischem Bims (Dachbegrünungssubstrat) abmagern.

Da die Pflanzen trockener Standorte meist auf Lücke stehen, kann man ihre Wirkung mit einer hellen mineralischen Mulchdecke steigern, die aber keinesfalls den Betrachter blenden sollte.

*Pflanzvorschlag für eine sonnige Doppelgrabstätte mit magerem, leicht saurem Boden. Die Bepflanzung erfolgte nach dem Vorbild einer Wachholderheide (von hinten nach vorne): Schwarzer Geißklee (*Cytisus nigricans*), Zwerg-Wachholder (*Juniperus sibirica*), Blaugraues Schillergras (*Koeleria glauca*), Schnee-Heide (*Erica carnea*), Färber-Ginster (*Genista tinctoria*), Zwerg-Birke (*Betula nana*), Heide-Nelke (*Dianthus deltoides*) und Sandglöckchen (*Jasione laevis*). Ein kleiner Steinhaufen, dessen Material passend zum Grabmal gewählt wurde, eine Sandfläche und eine Vogeltränke runden die naturnahe, pflegeleichte Gestaltung ab.*

Mit Farben gestalten

Das Farbempfinden ist eine subjektive Angelegenheit, auch wenn Farbtheorien etwas anderes behaupten. Manche Menschen lieben kräftige leuchtende Farben, andere bevorzugen eher weichere Töne. Die Farbwahrnehmung des einzelnen Menschen ist auch abhängig von seiner aktuellen Stimmung, deshalb sind ruhigere Farben für Grabstätten den knalligen Tönen vorzuziehen.

Ob man das Grab jedoch in den eigenen Lieblingsfarben oder denen des Verstorbenen gestaltet, muss man selbst entscheiden.

Zusammenspiel von Licht und Farben

Die Farbwirkung einer Pflanzung wechselt mit den Lichtverhältnissen und damit auch im Verlauf der Jahreszeiten: Intensive Sonneneinstrahlung, wenn die Sonne am Mittag im Sommer hoch steht, lässt die Farben oft verblassen. Etwas niedrigerer Sonnenstand lässt sie klar und kontrastierend erscheinen, während niedriger Sonnenstand am Abend bzw. in Herbst und Winter alles in ein weiches Licht taucht. Daher wirken Blütenfarben zu unterschiedlichen Jahres- bzw. Tageszeiten oft ganz anders.

Blüten- und Blattfarben, aber auch Formen sind hier perfekt aufeinander abgestimmt, denn eine formale Pflanzung verlangt dezente Farben.

Die zarte Heide-Nelke (Dianthus deltoides) *wird nur 10 bis 20 cm hoch, sie blüht in zartem Weiß, Rosa oder Rot von Juni bis August.*

Viele Pflanzenarten gibt es in Varietäten oder Sorten mit verschiedenen Blütenfarben. So kann man jede Grabbepflanzung ganz nach den eigenen Vorlieben bzw. denen des Verstorbenen gestalten. Für eine gelungene Komposition gilt, dass die Blütenfarben bei gemischten Pflanzungen dezent aufeinander abgestimmt sein sollten, während flächige Bepflanzungen auch Kontrastfarben vertragen. Beziehen Sie aber auch immer die Blattfarben in die Komposition mit ein (siehe S. 46 bis 48).

Das Gewöhnliche Katzenpfötchen (Antennaria dioica) *ist eine kleine anspruchslose Polsterpflanze, die im Frühsommer in Weiß, Rosa oder Rot blüht.*

*Der auffällige gelb-violette Farbkontrast der Wechselbepflanzung wird durch die große, ruhige, umgebende Fläche aus bodendeckendem Sternmoos (*Sagina subulata*) abgemildert.*

Die Wirkung von Farben

Farben können sich in ihrer Wirkung ergänzen, aufheben oder verstärken, besonders schön sind Ton-in-Ton-Kombinationen, beispielsweise verschiedene Rosa-Töne, bei flächigen Pflanzungen.

Soll eine kontrastierende Wirkung erzielt werden, verwenden Sie aber bitte nie mehr als drei unterschiedliche Farben und schwächen Sie den Kontrast durch eine verbindende neutrale Farbe, weiße oder grüne Töne, ab. Sonst wirkt das Grabbeet eher wie ein Bauerngarten als eine Gedenkstätte.

*Beim Duft-Veilchen (*Viola odorata*) sind Blüten- und Blattfarbe perfekt aufeinander abgestimmt.*

Zarte Pastelltöne stimmen nachdenklich oder romantisch, besonders wenn es sich um kleine duftige Blüten handelt. Gelbe und orangefarbene Blüten verbreiten warmes Licht und leuchten auch noch bei bedecktem Himmel. Leuchtendes Rot rückt nah an den Betrachter heran, kann sogar aufregen und sollte daher nur sehr begrenzt eingesetzt werden. Dagegen haben Blautöne eine beruhigende Wirkung und wirken weiter entfernt. Um richtig zur Geltung zu kom-

Die farbenfrohe Wechselbepflanzung in warmen Gelb- und Rottönen symbolisiert hier das Leben und den Weg zum Himmelstor.

Hier wurde eine gelungene Farbkombination aus roter und weißer Wechselbepflanzung in ansprechender, zu Grabmal und Bodendecker (Efeu, Hedera helix*) passender Form gepflanzt.*

Verschiedenfarbiges Laub unterteilt die Fläche dieses großen Grabbeetes. Die Farbe der runden Wechselbepflanzung kann je nach Jahreszeit und Stimmung variiert werden.

men, benötigen sie hellere Töne, wie weiße oder cremefarbene Blüten oder graues bzw. silbriges Laub neben sich.

Die Farben der Jahreszeiten

Jahreszeitliche Farbänderungen ergeben sich bei einer naturnahen Dauerbepflanzung von selbst. Cremeweiße und blassgelbe Farbtöne sind in unseren Breiten für das Frühjahr charakteristisch, Blau und kräftiges Gelb für den Sommer, warme Rot- und Orangetöne für den Herbst.

Grün – das Farbspiel der Blätter

Und nicht zuletzt muss bei der Farbgestaltung bedacht werden, dass auch das Grün der Blätter eine Farbe ist, sogar die am häufigsten verwendete. Mit panaschiertem, silbrigem und rotem Laub lassen sich auch ohne Blüten interessante Farbkombinationen gestalten. Immergrüne Gehölze, Samenstände von Gräsern und Früchte von Zwerggehölzen setzen auch im Winter farbliche Akzente, die mit dem Weiß des Schnees oder dem Grün einer Abdeckung aus Koniferenzweigen kontrastieren.

Platz für wechselnde Dekoration

Vergessen Sie auch nicht, auf dem Grab einen gut zugänglichen Platz für eine Vase, eine Pflanzschale oder ein Gesteck zu reservieren, der an Gedenk- und Feiertagen mit Pflanzen in gerade passenden Farben dekoriert werden kann.

Halbschattige Grabbeete

Die Gehölze im Hintergrund bilden die Leitbepflanzung, auf dem Grabbeet dominieren Bodendecker und Saisonpflanzen.

Es ist durchaus kein Nachteil, wenn die Grabstätte im lichten Schatten eines Baumes liegt oder im Sommer nur fünf bis sechs Stunden am Tag Sonne hat. Der Boden bleibt hier länger feucht, die Pflanzen sind nicht so extrem der Sommerhitze ausgesetzt und blühen dadurch länger. Das Licht und der Schatten des Blätterdachs zaubern zudem reizvolle Muster auf die Fläche. Die Auswahl geeigneter Pflanzen ist groß, denn auch einige Gewächse sonniger Standorte tolerieren halbschattige Lagen. Da der Schattenwurf in der Regel von einem Baum, Strauch oder einer Hecke stammt, ist es sinnvoll, diese Pflanze als Leitgehölz zu akzeptieren und die Grabbepflanzung darauf abzustimmen.

Im lichten Schatten wachsen und blühen die meisten Saisonpflanzen, wie Fleißige Lieschen oder Begonien, gut und lange.

Dauerbepflanzung

Wollen Sie eine pflegeleichte, naturnahe Dauerbepflanzung anlegen, können Sie sich an Waldrändern und in Lichtungen, an Heckensäumen und unter Gehölzgruppen Anregungen holen. Die meisten Frühblüher gehören in diesen Lebensbereich, aber auch einige geeignete Sommer- und Herbstblüher. Ihnen allen ist gemeinsam, dass sie eine leichte Winterabdeckung, am besten Laub, tolerieren, teilweise sogar als wärmende Hülle benötigen.

Für halbschattige Grabbeete eignen sich die meisten Fertigerden aus dem Handel. Meist reicht aber ein vorhandener, lehmig-humoser Boden für eine heimische Dauerbepflanzung völlig aus. Auch kleine Steinchen in der Pflanzerde stören nicht bei der Bepflanzung.

Liegt das Grab allerdings im lichten Schatten eines Gehölzes, besteht meistens ein Stickstoffmangel, den man mit einigen Handvoll Hornspänen, die man unter die obersten 20 bis 30 cm Erde mischt, ausgleichen kann (siehe auch S. 44/45). Hier passt man die Bepflanzung am besten an das Gehölz an und pflanzt zum Beispiel Glockenheide und Erika unter eine Birke oder einen Staudensaum vor eine Hecke.

Schöne, zum Grabmal passende Steine, bizarre Wurzelstücke oder Baumscheiben fügen sich zwanglos in eine naturnahe Dauerbepflanzung ein und unterstreichen die natürliche Wirkung.

EXPERTEN-TIPP

Zwerggehölze, besonders heimische und asiatische Laubgehölze finden Sie selten beim Friedhofsgärtner. Hier gibt es spezielle Gärtnereien und Versandgärtnereien, die Ihnen die passenden Arten empfehlen. Wer ein von Natur aus größerer werdendes Gehölz klein halten will, sollte sich vom Fachmann die richtige Schnitttechnik zeigen lassen, damit die Pflanze eine schöne Wuchsform behält.

Kleine Gehölze – wenig Pflege

Besonders pflegeleicht ist eine Bepflanzung mit einem hohen Anteil an Zwerggehölzen. Hier sollte man allerdings nicht zu viele immergrüne Nadelgehölze auswählen, weil das Beet sonst leicht zu düster wirkt. Es gibt viele Zwergformen von asiatischen und heimischen Laubsträuchern, die im Halbschatten richtig stehen (siehe Porträts ab S. 70). So vertragen die vielen Zwergformen japanischer Ahorne weder pralle Sonne noch tiefen Schatten. Auch das Mannsblut (*Hypericum androsaemum*) ist im Halbschatten zu Hause und kann sogar als Bodendecker gepflanzt werden. Das Laub der Zwergformen der Heckenkirsche (*Lonicera*-Arten) und des Schneeballs (*Viburnum*) verfärben sich im Herbst und die Gehölze tragen zudem leuchtend schwarze bzw. rote Beeren.

Besonders schön ist die Vielzahl an kleinen Rosen, die meist als Bodendeckerrosen oder Kleinstrauchrosen angeboten werden. Jedes Jahr werden kompaktere Sorten in immer neuen Farben gezüchtet und zertifiziert. Schön sind zum Beispiel die weiße 'Schneeflocke®' (bis 50 cm hoch), die rosafarbene 'Sommerwind®' (bis 60 cm hoch), die reingelbe ('Limesgold®' (bis 70 cm hoch) oder die apricotfarbene 'Cubana®' (bis 50 cm hoch). Sie lassen sich gut mit Gräsern oder Lavendel kombinieren und haben keine besonderen Bodenansprüche.

Die diagonale Flächengliederung mit Splitt und Holzhäcksel passt gut zu einer Dauerbepflanzung im Halbschatten. Ein Zwerggehölz rechts vor dem Grabstein und ausdauernde Stauden in kleinen Gruppen (z. B. Adonisröschen, Leimkraut, Glockenblume, Gamander) wirken natürlich. Immergrüne Gräser grenzen die beiden Mulchflächen voneinander ab.

Pflanzen richtig zusammenstellen

Ganz natürlich wirkend geht hier die Hintergrundbepflanzung mit Gehölzen in eine Saumbepflanzung sonniger trockener Standorte über. Das Grabmal fügt sich zwanglos ein.

Nicht nur in Blüten- und Blattfarbe, auch in ihrem gesamten Erscheinungsbild, ihren Lebensansprüchen und -rhythmen gibt es Pflanzen, die miteinander harmonieren und sich sogar positiv beeinflussen. Je besser die Pflanzen eines Standortes zusammenpassen, desto stabiler ist diese Pflanzengesellschaft gegenüber äußeren Einflüssen, denn fehlende Konkurrenz um Licht, Nährstoffe und Wasser kommt der Vitalität jeder Einzelnen zugute.

Ob Pflanzen zusammenpassen, erkennt man oft intuitiv am äußeren Erscheinungsbild. Zwischen hoch aufragenden, schlanken Pflanzen entwickeln sich niedrigere, buschig wachsende, in deren Schutz sich bodendeckende, schattenliebende ausbreiten. Der Stockwerksaufbau des Waldes ist ein schönes Beispiel dafür. Aber auch der zeitliche Aspekt spielt eine wichtige Rolle. Pflanzen können auf engstem Raum zusammenleben, weil sie sich im Rhythmus und ih-

Eine harmonische, dauerhafte und daher pflegeleichte Zusammenstellung von Zwerggehölzen und Stauden auf einem Grabbeet im lichten Schatten vorne am Weg und im tiefen Schatten vor der Mauer

rer jahreszeitlichen Entwicklung aneinander angepasst haben. So entfalten sich und blühen zum Beispiel die Frühblüher, solange die Gehölze noch keine Blätter haben. Auch dem Menschen wohnt das Bedürfnis nach Harmonie inne, und so empfinden wir gute Nachbarschaft unter den Pflanzen stets als etwas Ästhetisches, Gelungenes, ohne uns immer der Ursachen hierfür bewusst zu sein.

EXPERTEN-TIPP

Unter Laubbäumen sollte man die Bepflanzung an die Beschattungszeit, den Laubfall und den Wurzeldruck des betreffenden Gehölzes anpassen. Pflanzen, die hier auch in der Natur vorkommen würden, gedeihen am besten.

Exotische Saisonbepflanzung muss nicht sein

Eine harmonisch wirkende Kombination aus heimischen Pflanzen, Hybriden und exotischen Saisonpflanzen gelingt selten. Während die natürlichen Varianten heimischer Pflanzen oftmals kleine und stets ungefüllte Blüten besitzen, sind diese bei den Hybriden größer und gefüllt (und damit steril). Auch die meisten Exoten kommen als Hybriden in den Handel und tragen auffällige Blüten in knalligen Farben. Der Vorteil von Hybriden ist ihre lange Blühzeit, da sie nicht befruchtet werden, aber sie spenden Insekten somit auch keine Nahrung. Für umweltbewusste Menschen verbietet sich ihre Verwendung auch aus dem Grund, dass sie nur unter energieaufwendigen Bedingungen und mit Hilfe vieler Pflanzenschutzmittel hergestellt werden können. Die Vielfalt an heimischen Gehölzen und Stauden ist jedoch so groß, dass für alle Standorte eine Auswahl zur Verfügung steht.

Hier wurde die Bepflanzung auf das Grabmal und die Mauer im Hintergrund abgestimmt. Alle Zwerggehölze, Bodendecker und Saisonpflanzen tolerieren sogar tiefen Schatten.

Schattige Grabbeete

In der Regel gibt es bei Neubelegungen von Grabfeldern keine tiefschattigen Lagen, denn geräumte Gräber unter Bäumen werden oft nicht zur Wiederbelegung freigegeben. Haben Sie dennoch eine Grabstätte im tiefen Schatten anzulegen oder umzugestalten, so bedenken Sie, dass kein Ort mehr Ruhe, Trost und Zuversicht vermittelt als die Geborgenheit unter einem dichten Blätterdach.

Schatten ist nicht gleich Schatten

Schattenlagen müssen sich nicht unbedingt ähnlich sein, denn es macht für die Pflanzen einen Unterschied, ob der Schatten von einer Mauer, einer Konifere oder einem Laubbaum ausgeht.

Je nach Höhe und Himmelsrichtung spendet die Mauer vielleicht nur von Herbst bis Frühjahr Schatten, aber im Sommer steht die Sonne dann eventuell hoch genug, dass plötzlich viel Licht auf das Grab fällt.

Alpenveilchen gedeihen als Saisonpflanzen unter Laubbäumen auf humosem Boden, sofern es hier feucht genug ist.

Die schattige Lage unter altem Baumbestand vertragen nur wenige heimische Pflanzen natürlicher Waldbestände auf Dauer.

Unter Laubbäumen

Unter einem Laubbaum ist es nur im Sommer schattig, im Winter dagegen sonnig und im Herbst fällt eine dicke Schicht Laub auf das Beet, die manche Pflanzen sehr zu schätzen wissen, andere dagegen nicht tolerieren.

Besonders die heimischen Frühblüher, wie Anemonen, Märzenbecher, Tulpen und Narzissen, wissen den Frühling zu schätzen, wenn die Bäume noch nicht belaubt sind. Sie gedeihen am besten, wenn man das Laub im Winter liegen lässt und erst Ende Februar oder im März vorsichtig wegräumt.

Danach kommen Farne und heimische Sommerstauden, darunter viele Bodendecker, zum Beispiel der Kriechende Günsel. Im Herbst kann man das Beet mit Herbst-Krokus und Herbst-Aster noch einmal zum Blühen bringen. Im Winter zeigen sich Christrosen (*Helleborus*) und Schneeglöckchen.

Besonders tolerant sind alle sogenannten „Laubschlucker" (siehe Tabelle auf S. 44), die problemlos immer wieder durch das Falllaub hindurchwachsen.

Pflanzvorschlag für eine Einzelgrabstätte im tiefen Schatten eines Nadelbaumes, mit Rindenschrot gemulcht.
Rahmenpflanzen vor dem Grabmal:
*Seidelbast (*Daphne mezereum*) und Strauch-Efeu (*Hedera helix *'Arborescens').*
Immergrüne Gräser und Farne:
*Busch-Hainsimse (*Luzula luzuloides*), Wald-Segge (*Carex sylvatica*) und Hirschzungenfarn (*Asplenium scolopendrium*).*
Ausdauernde Stauden:
*Stinkende Nieswurz (*Helleborus foetidus*), Echtes Lungenkraut (*Pulmonaria officinalis*), Aufrechter Ziest (*Stachys recta*), Echter Ehrenpreis (*Veronica officinalis*), Wald-Storchschnabel (*Geranium sylvaticum*), Hainsalat (*Aposeris foetida*), Waldsteinie (*Waldsteinia geoides*), Kriechender Günsel (*Ajuga reptans*).*
Frühlingsblüher:
*Busch-Windröschen (*Anemone nemorosa*) und Waldmeister (*Asperula odorata*).*

Auch manche Saisonpflanzen kommen mit tiefem Schatten zurecht, wie die beliebten Eis-Begonien.

Immergrüne Gehölze wie Zwergformen von Rhododendren sehen im Schatten das ganze Jahr über schön (auf dem Grabbeet) aus.

Unter Nadelbäumen

Unter einem Nadelbaum ist es dagegen immer düster und zudem noch sehr trocken, außerdem lässt der ständige Nadelfall den Boden versauern.

Hier fühlen sich nicht viele, aber durchaus einige attraktive und pflegeleichte Pflanzen wohl. Zu den Klassikern gehören Buchsbaum und Efeu, aber auch viele Farne, einige immergrüne Gräser und Stauden wachsen im tiefen Schatten. Der Vorteil der Schattenlage ist, dass alles sehr langsam wächst und die Pflege somit leicht ist.

Wer auf eine Saisonbepflanzung nicht verzichten möchte, kann ab Mai Fuchsien, Alpenveilchen und Eisbegonien an einen dafür vorgesehenen Platz pflanzen.

Panaschierte Pflanzen sind keine Schattenfreunde

Für tiefen Schatten werden oftmals Pflanzen mit panaschiertem Laub empfohlen, die mit ihrer hellen Blattzeichnung „Licht ins Dunkel" bringen sollen. Varietäten mit wenig Blattgrün neigen allerdings dazu, im tiefen Schatten zu vergrünen, da sie mit ihrem verringerten Chlorophyllanteil bei wenig Licht nicht gedeihen können.

Laubschlucker

Name	Höhe (cm)	Blütenfarbe	Blütezeit/Monate
Maiglöckchen *(Convallaria majalis)*	10–25	Weiß	VI
Elfenblume *(Epimedium* in Sorten*)*	20–40	Rosa, Lila, Gelb, Weiß	IV–V
Rosa Storchschnabel *(Geranium endressii)*	30–50	Hellrosa	VI–VII
Brauner Storchschnabel *(Geranium phaeum)*	40–60	Rosa	V–VI
Wald-Storchschnabel *(Geranium sylvaticum)*	30–60	Rosa, Rot, Weiß	VI–VIII
Funkie *(Hosta* in Sorten*)*	40–80	Helllila, Blauviolett	VI–VIII
Gedenkemein *(Omphalodes* in Sorten*)*	15–25	Blau, Weiß	III–V
Lungenkraut *(Pulmonaria* in Sorten*)*	15–30	Blauviolett, Weiß	IV–VI
Klebriger Salbei *(Salvia glutinosa)*	15–30	Weiß	VI–VIII
Wald-Ziest *(Stachys sylvatica)*	30–60	Hellgelb	VI–X

Renovierung schattiger Beete

Wenn Sie bisher mit dem Wachstum der Grabpflanzen nicht zufrieden waren, kann das an nicht standortgerechten Pflanzen, Trockenheit am Fuß von Bäumen oder Stickstoffmangel im Boden alter Baumbestände liegen. In diesem Fall empfiehlt sich eine komplette Umgestaltung. Tragen Sie erst alles Laub oder anderes Mulchmaterial ab. Graben Sie alle Pflanzen aus, diejenigen, die Sie wiederverwenden wollen, mit möglichst großem Wurzelballen. Lockern Sie die Erde und entfernen Sie alle unerwünschten Kräuter und Wurzelstücke. Füllen Sie nun neue Erde auf, falls es Absenkungen im Pflanzbeet gegeben hat und vermischen Sie dabei die obersten 10 bis 20 cm mit Rindenkompost und Hornspänen. Arrangieren Sie nun die Pflanzen neu, zusammen mit den neu hinzugekauften, und verfahren Sie weiter wie bei einer Neuanlage (siehe Seite 18).

EXPERTEN-TIPP

Zum Renovieren schattiger Beete eignen sich Fertigerden auf der Basis von Rindenkompost am besten. Gegen Erden mit Torfanteil spricht nicht nur der Umweltschutz, sondern auch, dass sie sehr leicht austrocknen und sich nicht wieder benetzen lassen.

Nach Abschluss der Pflanzung sollten Sie unbedingt wieder eine Mulchdecke aus Holzhäcksel, Rindenmulch oder Laub auf die unbepflanzten Stellen decken und in den nächsten Wochen viel gießen.

Die beste Zeit für eine Renovierung sind Frühjahr und Herbst, wenn der Boden feucht ist und sich die alten Pflanzen gut ausgraben bzw. herausziehen lassen. Auch überstehen die Pflanzen es zu diesen Zeiten besser, wenn man sie eine Weile lagern muss, um sie später wieder an anderer Stelle einzupflanzen.

Wollen Sie ein Grabbeet im Sommer renovieren, ist es hilfreich, das Beet einige Tage vorher immer wieder gut zu gießen, damit das Wasser in tiefere Erdschichten dringt. Dazu muss man gegebenenfalls vorher eine dicke Schicht Nadeln abräumen, die das Eindringen des Wassers in den Boden verhindern.

Die Renovierung der Bepflanzung einer älteren Grabstätte ist oft sehr mühsam. Deshalb kann es sinnvoll sein, sich beim Abräumen und der anschließenden Beetvorbereitung von einem Freund oder einem Gärtner helfen zu lassen.

Mit Blättern gestalten

Blattfarben und -formen

Gerade auf schattigen Beeten kommt dem Gestaltungselement Blatt mehr Bedeutung zu als der Blüte. Es kann durch sorgfältige Auswahl von Grüntönen hell und freundlich gestaltet werden. Eine spannende Wirkung können Sie mit verschiedenen Grüntönen erreichen, wenn Sie diese flächig verwenden und auf die Farbe des Grabmals abstimmen. Dabei vertragen dunkle Grabsteine kräftige und rötliche Blattfarben, helle gelbliche und rötliche Steine harmonieren besser mit blau- oder graugrünem Blattwerk. Die Natur und auch viele Züchtungen bieten außerdem zweifarbiges Blattwerk mit hellen Streifen oder Tupfen.

Auch mit rotlaubigen Sorten lassen sich farbige Effekte erzielen, die für sich alleine wirken und nicht durch eine üppige Blütenfülle gestört werden sollten. Gehen Sie aber mit rotem und zweifarbigem (panaschiertem) Laub sparsam um, die Pflanzung wirkt sonst leicht unruhig. Mehr als ein oder zwei Pflanzen mit buntem Laub sollten Sie nicht verwenden.

Zwerggehölze mit interessanten Blattfarben

Name	Blattfarbe	Höhe (m)	Standort	Bemerkungen
Japanischer Gold-Ahorn (*Acer japonicum* 'Aureum')	Golden	1,20	Sonnig bis halbschattig	Saurer Boden
Roter Schlitz-Ahorn (*Acer palmatum* 'Dissectum Atropurpureum')	Rot	1,20	Sonnig bis halbschattig	Humoser, sauerer, feuchter Boden
Berberitze (*Berberis thunbergii* 'Atropurpurea Nana')	Rot	0,60	Sonnig bis halbschattig	Schnittverträglich
Haarzypresse (*Chamaecyparis filifera* 'Nana Aurea')	Golden	0,80	Sonnig bis halbschattig	Bizarrer Wuchs
Seidelbast (*Daphne odora* 'Aureomarginata')	Zweifarbig	1,50	Sonnig bis halbschattig	Strauchartiger Wuchs, Winterblüher
Efeu (*Hedera helix* 'Goldheart')	Zweifarbig	0,20–1,00	Sonnig bis halbschattig	Bodendecker
Stechplame (*Ilex aquifolium* 'Silver Queen')	Zweifarbig	1,20	Sonnig bis schattig	Immergrün, Winterschmuck
Wacholder (*Juniperus chinensis* 'Old Gold')	Golden	0,80	Sonnig bis halbschattig	Flach wachsend
Spierstrauch (*Spirea japonica* 'Goldflame')	Golden	1,00	Sonnig	Strauchartiger Wuchs

Auch mit verschiedenen Blattformen lassen sich schöne Effekte erzielen. Kombinieren Sie stets flächige Blattformen, wie die der Funkie, mit filigranen Blättern, wie sie viele Farne besitzen. Lineare Blätter von Gräsern kontrastieren mit den rundlichen von Pfennigkraut, Taubnessel oder Günsel. Pflanzen mit aufstrebendem, vertikalem Wuchs wie Maiglöckchen ergänzen dabei solche mit horizontalem Wuchs, wie Wald-Storchschnabel und Salomonsiegel. Man kann die Pflanzen in Gruppen verwenden, was einen großzügigeren Effekt ergibt, aber auch durcheinander gepflanzt sehen Pflanzen unterschiedlicher Blatt- und Wuchsform schön und natürlich aus.

Bei der Gestaltung mit Blattfarben und -formen ersetzen Bodendecker die notwendige Mulchdecke,

*Mit Bodendeckerpflanzen unterschiedlicher Laubfarbe (*Euonymus fortunei *'Emerald'n Gold' und* Cotoneaster dammeri *'Frieders Evergreen') kann man eine Beetfläche gliedern und gleichzeitig andere, kontrastierende Pflanzen hervorheben.*

Efeu gibt es in vielen verschiedenen Wuchsformen, Laubfarben und Blattformen, von denen sich einige auch als langsam wachsende Bodendecker eignen.

oder die Pflanzung ist so dicht, dass die gesamte Erde bedeckt ist. Solche Grabbeete sind meist sehr pflegeleicht. Manchmal kommt es aber zur Verdrängung einzelner Arten, was Sie als einen natürlichen Vorgang akzeptieren sollten.

Auf sonnigen Beeten wirken Pflanzen mit silbrigem und grauem Laub besonders elegant. Diese Laubfarbe kommt entweder durch eine dicke Wachsschicht oder feine Härchen auf der Blattoberfläche zustande. Beides dient der Strategie, das Sonnenlicht teilweise zu reflektieren und sich damit gegen übermäßige Verdunstung zu schützen. Die Pflanzen sind damit sehr trockenresistent und müssen auch im Sommer kaum gegossen werden. Kombiniert mit zarten rosa Blütentönen oder kräftigem Blau wirkt graues und silbriges Laub besonders schön. Passende ausdauernde Vertreter sind Heiligenkraut (*Santolina*), Silber-Wermut (*Artemisia stelleriana*), Echter Lavendel (*Lavandula angustifolia*), Blauschwingel (*Festuca glauca*) und einige Hauswurz-Arten (*Sempervivum*).

Zu den nicht winterharten Saisonpflanzen mit silbrigem Laub zählen Silberblatt (*Senecio cineraria*), Woll-Ziest (*Stachys byzantina*), Echeverien (*Echeveria*) und Mehl-Salbei (*Salvia farinacea*).

Lebhafte Flächengliederung mit unterschiedlichen Laubfarben und naturnahen Formen

Dezentes Spiel mit Grüntönen: Zwergmispel und Zwergspindelstrauch als Bodendecker

Stauden mit interessanten Blattfarben

Name	Blattfarbe	Höhe (cm)	Standort	Bemerkungen
Weißer Beifuß *(Artemisia ludoviciana incompacta)*	Silbergrau	60	Sonnig	Trockener, magerer Boden
Funkie (*Hosta fortunei* 'Aurea')	Zweifarbig	60	Sonnig bis schattig	Humoser, feuchter Boden
Echter Lavendel *(Lavandula angustifolia)*	Silbergrau	50	Sonnig	Halbstrauch für trockenen, mageren Boden
Dost (*Origanum vulgare* 'Aureum')	Golden	10	Sonnig	Bodendecker für trockenen Boden
Silberblatt *(Senecio cineraria)*	Silbergrau	20	Sonnig bis halbschattig	Nicht frosthart

Grabschmuck und Grabpflege

Frühling

Es ist ein alter und schöner Brauch, Grabstätten an besonderen Gedenktagen, seien sie religiös oder persönlich bestimmt, mit Sträußen, Gebinden, Kränzen oder bepflanzten Schalen zu schmücken. Dazu gehört auch die Saisonbepflanzung, die hier das Ende des Winters einläutet.

Im zeitigen Frühjahr, wenn in der Natur noch alles kahl ist, sehen bepflanzte Schalen mit Frühblühern auf dem Grab am schönsten aus. Sie können sie selbst mit Blumenzwiebeln bestücken und in der Wohnung vortreiben lassen. Beachten Sie dabei die angegebenen Pflanztiefen.

Geeigneter für flache Schalen als dicke Tulpenzwiebeln sind die kleineren heimischen Wildformen, aber auch die als botanische Arten angebotenen Züchtungen mit größeren Blüten als die Wildformen, aber ebenso kurzen Stielen. Die Pflanztiefe entspricht in der Regel dem Durchmesser der Blumenzwiebel, der Abstand kann aber sehr eng gewählt werden.

Heimische Glockenheide, Schneeglöckchen, Primeln und Narzissen kündigen den Frühling an.

Falls Sie verblühte Zwiebelblumen im Herbst nochmals setzen möchten, können Sie ihnen die Blütenstände abschneiden, damit sich keine Samen bilden, die Zwiebeln ausgraben und von anhaftender Erde befreien. Die Pflanzen wickelt man einzeln in Zeitungspapier und lagert sie bis Mitte Oktober in einer flachen Kiste im kühlen Keller.

Mit der Pflanzung von Saisonblühern sollte man warten, bis die letzten Frostnächte vorüber sind.

Vorarbeiten im Winter

Sollen Blumenzwiebeln schon im Herbst ins Saisonbeet, haben sich Pflanzkörbe als sehr praktisch erwiesen, da sie die Wühlmäuse abhalten und nach dem Verblühen aus dem Beet herausgenommen werden können. Man kann die Zwiebeln aber auch im Winter in ein Pflanzgefäß setzen und im Haus an einem nicht zu warmen Ort vortreiben lassen. Halten Sie die Erde nur leicht feucht und stellen Sie das Gefäß an ein Fenster, sobald grüne Triebspitzen zu sehen sind. Die vorgetriebenen Blumenzwiebeln können Sie im Frühjahr ins Grab stecken oder das ganze Gefäß hinausbringen. Bevor Sie es auf das Grab stellen, sollten Sie die Pflanzen langsam an den Temperaturunterschied gewöhnen, indem Sie sie erst ins kühle Treppenhaus und dann ins Freie stellen.

Wer lieber auf gekaufte Saisonpflanzen zurückgreifen möchte, sollte die Massenware meiden. Oftmals findet man ab Ostern auf fast allen Gräbern die gleichen Blumen, was wenig nach liebevollem Gedenken aussieht. Statt der großblumigen Stiefmütterchen kann man beispielsweise auch die hübscheren und wesentlich unempfindlicheren sowie länger blühenden kleinblumigen *Viola*-Arten nehmen. Diese kann man schön mit Zwiebelblumen, wie Traubenhyazinthen und kleinen Tulpen oder Narzissen, kombinieren. Wenn die Zwiebelblumen nach einiger Zeit verblüht sind, schneidet man die verwelkten Stiele zurück und lässt das Laub zwischen den Stiefmütterchen stehen, die oft bis in den Frühsommer hinein blühen.

Ein Klassiker unter den ersten Frühlingsboten in vielen Farben ist die Garten-Primel. Sie liebt es halbschattig und gleichmäßig feucht.

Die Grabpflege im Frühling

- Die Spuren des Winters werden beseitigt und die Winterabdeckung, falls vorhanden, entfernt, damit sich die Erde in der Frühlingssonne erwärmen kann und die ersten Frühlingsblüher ihre grünen Spitzen ausstrecken können.
- Der Winterschnitt von Gehölzen kann jetzt, da keine stärkeren Fröste mehr zu erwarten sind, erfolgen. Frostschäden und überzählige Triebe werden ausgeschnitten, das typische Wuchsbild der Pflanze soll dabei aber erhalten bleiben.
- Sommer- und Besenheide werden bis in den untersten Bereich der letztjährigen Triebe zurückgeschnitten, damit sie dicht und gleichmäßig bleiben. Das Abschneiden abgestorbener Staudenteile sollten Sie aber so lange wie möglich hinauszögern, denn in ihnen verbergen sich im Winter oft nützliche Insekten.
- Das Saisonbeet lockern und eventuell Kompost einarbeiten.
- Robuste Frühjahrsblüher können nun gepflanzt werden. Aber Vorsicht: Es kann bis Mitte Mai noch Nachtfröste geben.
- Nach der Pflanzung die Mulchdecke erneuern oder ausbessern.
- Das Grabmal auf Standsicherheit und Frostschäden überprüfen und gegebenenfalls mit klarem Wasser und einer Bürste säubern.

Sommer

Ab Ende Mai, wenn keine Fröste mehr drohen, beginnt die Sommerpflanzensaison. Im Saisonbeet wird jetzt die Frühjahrsbepflanzung abgeräumt und an deren Stelle werden Sommerblumen gepflanzt.

Dabei sollte man aber nicht die Zwiebeln von Krokus, Narzissen, Tulpen und anderen Zwiebelpflanzen beschädigen, denn sie treiben im nächsten Frühjahr wieder aus.

EXPERTEN-TIPP

Pflanzgefäße für Saisonpflanzen sollten Sie im Sommer nur verwenden, wenn Sie Zeit für regelmäßiges, an sonnigen Standorten bis zu tägliches Gießen haben, denn sie trocknen viel schneller aus als die Beeterde.

Im Sommer werden meist kräftigere Farben gepflanzt. Die Pflanzenauswahl ist riesig und wird von Jahr zu Jahr größer, besonders bei den Begonien, von denen es für jeden Standort passende Sorten gibt. Neben den Eis-Begonien (*Begonia* x *semperflorens*) in grün- und rotlaubigen Varianten mit weißen, rosa und roten Blüten, gibt es Elatior-Begonien mit gelben Blüten und Knollen-Begonien in Gelb, Weiß, Rosa und Rot. Putzt man sie gelegentlich aus, blühen sie lange und ausdauernd.

Auch Fleißige Lieschen (*Impatiens walleriana*) sind dankbare Sommerblüher, allerdings nur im Halbschatten und Schatten. Besonders die Minisorten eignen sich für Muster und bunte Mischungen sowie für kleine Grabbeete.

Pelargonien (*Pelargonium zonale*) gehören ebenfalls zu den beliebtesten Sommerpflanzen. Hier sollte man nur kompakt wachsende und solche mit einfachen Blüten wählen, die sich selbst putzen. Schmuckblatt-Pelargonien blühen nicht, haben aber attraktives Laub.

*Der einjährige Mehl-Salbei (*Salvia farinacea*) blüht von Juni bis September in Violett- und Blautönen Er hat zudem hübsches silbriges Laub.*

Grabgestecke und Kränze

In die Sommerzeit fallen auch Gedenktage, für die man das Grab mit einem Strauß oder Gesteck schmücken möchte. Käufliche Steckhilfen erleichtern die Arbeit und geben den Pflanzenteilen Halt und die richtige Stellung im Gefäß. Es gibt sie inzwischen auch aus umweltfreundlichen kompostierbaren Materialien. Gut mit Wasser versorgt, hält sich ein Gesteck selbst im heißen Sommer bis zu zehn Tage.

Kunststoffbehälter sind auf vielen Friedhöfen nicht zulässig und sehen auch nicht so schön aus. Als geeignet erweisen sich alle frostfesten Ton-, Steingut- und Natursteingefäße. Am dekorativsten sind sie in Abstimmung mit Farbe und Material des Grabmals. Sie können das ganze Jahr auf dem Grab stehen und

Sommerblühende Saisonpflanzen in Töpfen oder Schalen benötigen viel Wasser.

Die Grabpflege im Sommer

- Neben der Neubepflanzung des Saisonbeetes steht jetzt das Gießen an erster Stelle, wobei bei trockenem Wetter ein- bis zweimal wöchentlich 10 bis 20 Liter/m² ausreichend sind.
- Manche Saisonblumen brauchen alle drei Wochen eine Flüssigdüngergabe, Pflanzgefäße müssen noch öfter gedüngt und bis zu täglich gegossen werden.
- Außerdem müssen unerwünschte Wildkräuter aller vier bis sechs Wochen von Hand gejätet werden. Der Einsatz von Herbiziden verbietet sich von selbst und ist auch nicht zulässig.
- Sommerblumen können ab Ende Mai ins Saisonbeet gepflanzt werden. Ihre Blühzeit kann durch Ausbrechen vertrockneter Blütenstände zum Teil verlängert werden.
- Gehölze und Bodendecker werden im Juni in Form geschnitten.

mal als Vogeltränke (mit Steinen aufgefüllt), als Übergefäß für eine Blumenvase oder als Wasserreservoir für ein Gesteck dienen.

Entfernen Sie bei den Blumen alle überschüssigen Blätter. Dekorieren Sie mit haltbarem Blattwerk etwa von Calla (*Zantedeschia*) oder Zierspargel (*Asparagus*), Zweigen von Bäumen und Sträuchern und Ranken von Kletterpflanzen. Sie können symmetrische, aber auch asymmetrische Anordnungen stecken, wobei bei Letzteren darauf geachtet werden muss, dass das Gefäß nicht kippen kann.

Verwenden Sie für Grabsträuße nur ganz frische Blumen, schneiden Sie die Stiele direkt vor dem Arrangieren in der Vase nochmals schräg an. Das Gefäß nicht zu klein wählen und kein Blattwerk mit ins Reservoir tauchen, sonst fault das Wasser zu schnell. Je mehr Blätter Sie von den Stielen entfernen, desto länger bleiben die Blumen frisch. Für Grabsträuße im Sommer eignen sich aber auch Trockenblumensträuße aus Strohblumen, Disteln, Schleierkraut, Gräsern und Getreidehalmen oder aus Zweigen von Mäusedorn.

*Das einjährige Männertreu (*Lobelia erinus*) gibt es neben den üblichen violettblauen Blüten auch in Weiß oder Rosa. Von Mai bis Oktober schmücken die kleinen Blüten Pflanzschalen und Grabbeete.*

Herbst

Traditioneller Monat des Gedenkens an Verstorbene ist der November. Bevor der Winter beginnt, werden die letzten Pflegearbeiten verrichtet und das Grab mit frischen oder dauerhaften Pflanzenarrangements geschmückt.

Eine herbstliche Saisonbepflanzung wird ab September gepflanzt, wenn die Sommerblumen in Beet oder Schale nicht mehr schön aussehen.

In rauen Lagen sollten die Herbstpflanzen frosttolerant sein, da hier schon im Oktober die ersten Nachtfröste auftreten können.

Meist werden die Sommerblumen gegen Stiefmütterchen (*Viola* x *wittrockiana*) oder Horn-Veilchen (*Viola cornuta*) ausgetauscht. In manchen Gegenden haben Eriken (*Erica gracilis*) in Violett und Rosatönen Tradition. Kombiniert mit dem silberfarbenem Laub des Silberblatts (*Senecio cineraria*) oder Ziergräsern kann das sehr edel aussehen. Auch Zier-Kohl (*Brassica oleracea*-Sorten) und Zier-Paprika (*Capsicum annuum*) können im Herbst ein Grabbeet schmücken. Alpenveilchen (*Cyclamen persicum*) und Herbst-Chrysanthemen sind dagegen recht frostempfindlich.

Die Grabpflege im Herbst

> Ab Oktober können nochmals Herbstblüher ins Saisonbeet gesetzt werden, außerdem die Zwiebeln für die Frühlingssaison.

> Das Grab im Herbst nicht zu sehr aufräumen, denn viele Gräser, Blüten- und Samenstände bieten nützlichen Insekten Überwinterungsmöglichkeiten und sehen auch im Winter schön aus.

> Eine schützende Mulchdecke hält den Boden warm und feucht und erleichtert den Pflanzen das Überwintern.

Für den Herbstschmuck bieten sich viele Saisonblüher, aber auch Pflanzen mit schmückendem Laub oder leuchtenden Beeren an.

Naturnah und dauerhaft bepflanzte Grabbeete tragen meist genügend Herbstschmuck, zum Beispiel Astern. Neben den niedrigen heimischen Kissen-Astern (*Aster dumosus*) mit weißen, rosa und blauen Blüten eignen sich auch die zierlichen Myrten-Astern (*Aster ericoides*) mit gelben, weißen oder violetten Blüten für Grabbeete in sonnigen Lagen.

Für besonders trockene und sonnige Grabstätten kann man die attraktive Purpur-Fetthenne (*Sedum telephium*) verwenden, die bis weit in den Oktober blüht. Und selbst ihr vertrockneter Blütenstand sieht im Winter noch lange hübsch aus.

In Halbschatten und Schatten blühen die Garten-Herbst-Anemonen (*Anemone-Japonica*-Hybriden) in Weiß und Rosa bis in den November hinein.

Andere dauerhafte Pflanzen, wie die Scheinbeere (*Gaultheria*), tragen leuchtend rote Beeren als Herbstschmuck und nicht zuletzt ist auch das sich verfärbende Laub von Gehölzen, besonders der Japanischen Zwerg-Ahorne (*Acer palmatum*), ein attraktiver Herbstschmuck.

*Flächiger Herbstschmuck mit Heide (*Erica gracilis*) und Blauschwingel (*Festuca glauca*)*

*Die reichblühende Garten-Fetthenne (*Sedum floriferum* 'Weihenstephaner Gold') blüht bis Ende September.*

Herbstliche Gestecke

Der Herbst bietet noch viele Blumen, grüne Zweige, Samenstände und Fruchtschmuck, die sich für herbstliche Gestecke eignen. Als Unterlage für ein Gesteck nimmt man einige kräftige, flach zusammengebundene Zweige. Es gibt aber auch fertige Unterlagen in verschiedenen Formen in Blumenläden oder Bastelgeschäften zu kaufen. Die Schnitt- oder Trockenblumen, Fruchtstände und kleineren Zweige werden schräg angeschnitten und auf der Unterlage festgesteckt oder -gebunden. Aber auch flache, frostfeste Schalen mit Abzugslöchern, mit Sand, Steinen oder Kies gefüllt, sind gute Steckhilfen.

Herbstfarben wie Braun-, Rot- und Orangetöne fügen sich am besten in die Umgebung ein. Vor dem Hintergrund immergrüner Pflanzen sehen cremefarbene Besenheide, blauschwarze Beeren von Liguster und rote Hagebutten besonders schön aus. Haben Sie keinen solchen Hintergrund, kombinieren Sie Zweige von Tanne, Kiefer oder Buchs mit hellen Blütenständen, leuchtenden Beeren und blaugrauen Gräsern.

Die meisten benötigten Materialien findet man im eigenen Garten oder bei einem Spaziergang in der Natur. Bedenken Sie beim Kauf von Bastelmaterial und fertigen Gestecken, dass die Verwendung von Baumpilzen ökologisch ebenso bedenklich ist wie das Einfärben von Pflanzenteilen.

Winter

Verschiedenfarbiges Tannengrün, unterschiedliche Koniferenzapfen und eine dezente Schleife schmücken das winterliche Grabbeet.

Der Winter ist die Zeit der Ruhe und erinnert uns unweigerlich an den Tod. Die Pflanzen ziehen sich aber nur zurück, um im nächsten Frühjahr wieder zu erwachen. Auch ein winterliches, ungeschmücktes Grab muss nicht leer aussehen. Immergrüne Gehölze und Gräser, Samenstände von Stauden und Beeren an Gehölzen wirken sehr dekorativ und einige Pflanzenarten blühen sogar im Winter.

Nur das Saisonbeet sieht im Winter kahl aus und sollte mit einem Winterschmuck aus Koniferenzweigen und einem Gesteck oder Kranz geschmückt werden. Je nach Größe der Fläche legt man zuerst Fichten- oder Tannenzweige in einer Lage auf die Erde. Mit etwas Übung kann man sogar Muster legen, wenn man die Wuchsrichtung der Nadeln und die Ober- bzw. Unterseite der Zweige beachtet. Auch gemischte Abdeckungen mit grünen und graublauen Zweigen sehen schön aus. Als Unterlage für einen Kranz oder ein Gesteck legt man die Zweige flach auf die Graberde. Man kann sie alternativ schräg in den Boden stecken und mit Zapfen und den dekorativen Zweigen von Stechpalme und Hagebutte ergänzen.

Eine komplette Abdeckungen des Grabbeetes ist nur sinnvoll, wenn es sich um einen frischen Grabhügel handelt oder ein eingeebnetes Grabbeet noch nicht bepflanzt wurde. Abgedeckt sieht es auch im Winter schön aus und man kann die Erde sichern, bis im Frühjahr eine Neubepflanzung erfolgt. Ursprünglich wurden auch bepflanzte Gräber mit Fichtenzweigen abgedeckt, um die Pflanzen vor strengem Frost ohne Schnee zu schützen. Doch die immer wärmeren Winter und der höhere Anteil an Bodendeckern bei der Grabbepflanzung macht diese Form des Winterschutzes inzwischen meist überflüssig. Bleibt der Winter warm und feucht, können die Bodendecker unter der Abdeckung sogar faulen. Eine dicke Schneedecke schützt sie hingegen vor der Frosttrocknis an kalten sonnigen Tagen, denn zwischen den Pflanzen und dem Schnee bildet sich ein dünnes Luftpolster, das für den eigentlichen Schutz sorgt.

Einen ähnlichen Schutz erreicht man in schneearmen Gebieten mit einer Abdeckung aus Fichtenreisern,

Pflegearbeiten im Winter

> Dauerbepflanzung, Bodendecker und Mulchdeckesollten so gewählt sein, dass kein Winterschutz benötigt wird. Eine dichte Abdeckung mit Tannenreisern schadet eher, als dass sie nutzt, denn darunter überwintern viele Schädlinge, und die Bodendecker verpilzen. Eine dicke Schneedecke im Winter ist in der Regel der beste Schutz für Boden und Pflanzen.

> Die Schneelast von immergrünen Gehölzen entfernen, damit die Äste nicht brechen.

> Bei wenig Schnee und sonnigen Wintertagen kann das Gießen Immergrüner nötig werden.

Mit den letzten Hortensienblüten, etwas Efeu und immergrünen Zweigen schmückt dieser Kranz das Grab bis in den Winter.

wenn sie dünn gelegt wird. An keiner Stelle darf doppelt abgedeckt werden, denn die Luft muss zwischen den Grabpflanzen ungehindert zirkulieren können. Für viele Stauden ist aber selbst diese Form der Abdeckung eher schädlich als nützlich.

Grabschmuck im Winter

Immergrüne Zweige, geschmückt mit Zapfen und Beeren, als Kranz oder Gesteck, bestimmen die winterliche Grabdekoration. Dafür eignen sich sowohl Laubgehölze (Buchs, Stechpalme, Eibe, Mahonie und Mistel) als auch nicht nadelnde Koniferenzweige von Silbertanne, Muschelzypresse, Latsche und Kiefer. Die Ranken von Efeu und Immergrün sind dekorativ, aber auch rote Beeren von Stechpalme, Feuerdorn und Hagebutten, schwarze Beeren von Mahonie und Efeu und die weißen Früchte der Mistel schmücken – zusammen mit einem passenden Band – das Grab im Winter.

Zur Weihnachtszeit sehen Kiefernzapfen, eine farblich passende Kerze oder ein Band besonders festlich aus.

Grundlage für den Kranz ist der Kranzreif, den Sie kaufen oder aus biegsamen Zweigen selbst herstellen können. Die Größe können Sie selbst wählen, wichtig für die Proportionen ist jedoch, dass die Öffnung des fertigen Kranzes ungefähr das Ein- bis Eineinhalbfache der Breite des Kranzkörpers misst.

Zuerst wird der Bindedraht am Kranzreif befestigt, dann die Stielenden der Blumen, Zweige oder Ranken auf den Reif gelegt und zwei- bis dreimal umwi-

EXPERTEN-TIPP

Für die Grabschmuckgestaltung benötigen Sie Werkzeuge, wie eine Gartenschere, eine Haushaltsschere und ein kleines scharfes Messer. Zum Binden von Kränzen brauchen Sie außerdem grünen Wickeldraht und eine kleine Drahtzange oder einen Seitenschneider. Kranzreifen, Steckhilfen, Unterlagen und weitere Utensilien bekommen Sie in Blumen- und Bastelläden sowie Baumärkten.

Winter – Zeit der Ruhe. Der Schnee auf den Gräbern schützt die darunterliegenden Pflanzen.

ckelt. Die nächsten Zweige dachziegelartig so auf den Kranzkörper legen und umwickeln, dass die Stielenden der Ersten verdeckt werden. Zum Schluss den Draht abkneifen und im Kranz verstecken. Frische Blumen, Trockenschmuck und Ranken können auch anschließend noch hineingesteckt werden, wobei man die Stiele mit Draht verstärken kann. Auch Schleifen und Bänder sind dekorativ, besonders wenn der Kranz an ein Grabkreuz oder eine Stele gehängt wird.

Frost und Schnee

Der Winter ist auch auf dem Friedhof eine Zeit der Ruhe. Grabpflege ist jetzt nicht nötig. Entfernen Sie vor dem Frost alle Vasen und Schalen, damit sie nicht zerstört werden. Lassen Sie den Schnee auf dem Grab liegen, er schützt die darunterliegenden Pflanzen. Nur klare Sonnentage mit Dauerfrost bedeuten für immergrüne Pflanzen Stress. Das Wasser im Boden ist gefroren und die Pflanzen verdunsten mit ihren grünen Blättern viel Wasser in der Sonne, so dass sie vertrocknen können. Es wird daher immer wieder empfohlen, großblättrige immergrüne Pflanzen, wie Kirschlorbeer und Rhododendron, auch im Winter an sonnigen Tagen zu gießen. Da auf dem Friedhof allerdings die Wasserleitungen im Winter abgedreht werden, kann nicht gegossen werden. Am besten pflanzt man daher nur solche Gewächse, die mit den vorherrschenden Bedingungen gut zurechtkommen. Besonders hübsch sind klein bleibende, auch für ein- oder zweistellige Gräber geeignete Gehölze, die im frühen oder späten Winter blühen, wie der Echte Winter-Jasmin (*Jasminum nudiflorum*), Seidelbast (*Daphne mezereum*), Zwergformen des Winter-Schneeballs (*Virburnum bodnantense* 'Dawn'), Stern-Magnolie (*Magnolia stellata*), Vorfrühlings-Alpenrose (*Rhododendron praecox*), Lavendelheide (*Pieris japonica*) und Fleischbeere (*Sarcococca confusa*).

Wenn dann bereits im Februar die ersten Schneeglöckchen (*Galanthus nivalis*), Frühlingsknotenblumen (*Leucojum vernum*) und Krokusse (*Crocus flavus, C. biflorus*) kommen und den nahen Frühling ankündigen, ist der scheinbar lange Winter in den meisten Gegenden bereits vorbei und der Jahreszyklus beginnt von Neuem.

Pflanzen für Grabbeete

Rahmenpflanzen für sonnige Grabbeete

Zwerg-Felsenbirne

Amelanchier ovalis 'Pumila'

Wuchs: Zierlich bis buschig, bleibt auch im Alter klein, 50 bis 100 cm hoch, etwa 50 cm breit. **Blüte:** Weiß mit gelben Staubblättern, in Büscheln an den Triebenden, blüht von April bis Mai; lockt Schmetterlinge an. **Boden:** Normaler bis kalkhaltiger Boden, besonders gut für mineralische, magere und trockene Standorte ohne Staunässe geeignet. **Pflege:** Keine Pflege erforderlich, der Zwergstrauch braucht weder Dünger noch Winterschutz. **Besonderes:** Besonders schöne orangerote Herbstfärbung; kleine, schwarze, essbare Beeren, die von Vögeln geliebt werden.

Rosmarin-Seidelbast

Daphne cneorum

Wuchs: Niederliegend, flachwüchsig, nur 10 bis 30 cm hoch, bis zu 60 cm breit, langsam wachsend, immergrünes Laub mit linealischen Blättern, sehr dekorativ. **Blüte:** Karminrosa an den Zweigenden, von April bis Juni mit starkem, angenehm süßem Duft. **Boden:** Für trockene, magere bis mäßig frische, mineralische Böden; ohne Staunässe sehr winterhart. **Pflege:** Keine Pflege erforderlich; zu lange kahle Zweige werden nach der Blüte eingekürzt. Darf nach dem Einwachsen nicht mehr umgepflanzt werden. **Besonderes:** Giftige Beeren.

Zwerg-Birke *Betula nana* ist ein niederliegender bis bogig aufrecht, langsam wachsender Zwergstrauch, 40 bis 80 cm hoch und breit; für saure, feuchte, lehmig-sandige oder moorige Böden. Verträgt auch Schatten, aber keine lang anhaltende Trockenheit. Passt gut zu Erika.

Buchsbaum *Buxus sempervivens* ist ein schnittverträglicher immergrüner Strauch für durchlässige, frische bis trockene Böden. Verträgt auch Schatten. Für die Grabbepflanzung am besten auf klein bleibende Sorten ('Blauer Heinz', 'Suffruticosa') zurückgreifen.

Stein-Ginster
Genista lydia

Wuchs: Niederliegend, langsam wachsend, halbkugelförmig, bis 50 cm hoch und 100 cm breit; mit graugrünen, dornspitzigen, bogenförmigen Zweigen. **Blüte:** Auffallend gelb und üppig von Mai bis Juni. **Boden:** Für trockene, nährstoffarme, mineralische Böden von schwach sauer bis schwach alkalisch. **Pflege:** Verträgt große Hitze- und Trockenheit; muss als Stickstoffsammler nicht gedüngt werden. An windigen Stellen und in hohen Lagen etwas frostempfindlich (locker mit Fichtenzweigen abdecken). **Besonderes:** Beliebt bei Bienen und Schmetterlingen.

Gnomen-Fichte
Picea abies 'Pygmea'

Wuchs: Breit, kegelförmig, 100 bis 150 cm hoch und breit, dicht verzweigt wachsend, mit dunkelgrünen stechende Nadeln. **Blüte:** Sehr dekorative rotbraune Knospen und Zapfen, an den Triebenden stehen. **Boden:** Frisch bis feucht, leicht sauer bis neutral, durchlässig, nicht zu nährstoffreich. **Pflege:** In trocken-heißen Sommern und an sonnigen Frosttagen gießen. **Besonderes:** Wurzelt sehr flach und duldet keinen Unterwuchs, deshalb mit Rindenschrot oder Holzhäcksel mulchen. Verträgt auch Halbschatten, ist sehr frosthart.

Gewöhnliche Zwergmispel *Cotoneaster integerrimus* wird 50 bis 150 cm hoch und wächst mit langen Trieben zierlich überhängend, für magere trockene Böden geeignet, sehr frosttolerant, pflegeleicht. Er blüht mit kleinen weißen Blüten von April bis Mai und hat schönes gelbes Herbstlaub.

Eingriffeliger Weißdorn *Crataegus monogyna* 'Compactum', die Zwergform des bekannten heimischen Großstrauchs, wird nur 30 bis 50 cm hoch. Mit hübschen weißen Blüten in April und Mai, gelber Herbstfärbung und dekorativem Wuchs. Für trockene bis normale Böden, frosttolerant.

Rahmenpflanzen für sonnige Grabbeete

Zwerg-Mandel
Prunus tenella

Wuchs: Hübscher Kleinstrauch mit dünnen, aufrechten, wenig verzweigten Trieben. Wächst sehr langsam, bildet Ausläufer. **Blüte:** Vor dem Laubaustrieb rosa, mit leichtem Bittermandelduft, im April oder Mai. **Boden:** Mäßig trocken bis frisch, neutral bis alkalisch, durchlässig, sandig-lehmig. **Pflege:** Sehr hitze- und frosttolerant, trotzdem etwas windgeschützt pflanzen. Zweige direkt nach der Blüte Ende Mai um zwei Drittel zurückschneiden, da die Blüten am vorjährigen Holz gebildet werden; unerwünschte Ausläufer direkt über dem Boden abschneiden.

Essig-Rose
Rosa gallica

Wuchs: Zwergstrauch mit aufrechten stacheligen Zweigen bis 100 cm Höhe, schwachwüchsig, aber durch Ausläufer Kolonien bildend. Blätter 3- bis 7-fiedrig, Oberseite grün, Unterseite graugrün. **Blüte:** Auffallend große ungefüllte, karminrosafarbene und duftende Blüten im Juni und Juli. **Boden:** Trocken bis frisch, neutral bis alkalisch, sandig-lehmig, lehmig oder tonig. **Pflege:** Abschneiden unerwünschter Ausläufer dicht über dem Boden (auch in größerer Entfernung vom Standort). **Besonderes:** Früher Laubfall im September; dekorative, orangebraune Hagebutten.

Schwarzer Geißklee *Cytisus nigricans* 'Cyni' wächst locker buschig 60 bis 80 cm hoch, mit leuchtend gelben Blüten von Juni bis August in langen Trauben, mit Honigduft. Für mäßig frische bis extrem trockene Böden. Verträgt Hitze, Trockenheit und Frost, steht gerne einzeln am Grabstein.

Sadebaum *Juniperus sabina* ist sehr langsam und flach wachsend (50 bis 150 cm hoch, 2 bis 3 m breit), immergrün mit schuppenförmigen Blättern. Für alle nicht zu schweren und nährstoffreichen Böden geeignet. Achtung: Alle Teile sind sehr giftig und können Hautreaktionen auslösen.

Stauden für sonnige Grabbeete

Mittleres Zittergras
Briza media

Wuchs: Niedriges, locker wachsendes, sehr dekoratives heimisches Horstgras mit immergrünen schmalen Blättern von 10 bis 20 cm Höhe, auch als Bodendecker geeignet. **Blüte:** Herzförmige, kleine Ährchen von Mai bis Juli an dünnen, etwa 40 cm hohen Stielen hängend. **Boden:** Trocken, steinig oder sandig bis lehmig. **Pflege:** Im Frühjahr alte Blütenstände und gelbe Blätter abschneiden. Tochterhorste bei zu starker Ausbreitung einfach abreißen oder den gesamten Horst ausgraben, teilen und einzelne Teilstücke wieder einpflanzen. Achtung: Pflanze kann versamen.

Zwerg-Glockenblume
Campanula cochleariifolia

Wuchs: Die kleinen, nur etwa 5 cm hohen Blattrosetten wachsen rasenartig an dünnen, unterirdisch kriechenden Ausläufern, kommen selbst in kleinsten Ritzen zwischen Steinen vor. **Blüte:** Kleine anmutige blaue oder weiße (Sorte 'Alba') Glöckchen an 10 bis 15 cm hohen Stängeln, von Juli bis September. Neben der heimischen Wildform gibt es viele Sorten. **Boden:** Felsige, steinige, trockene Böden, auch in Fugen und zwischen Steinen. **Pflege:** Sehr anspruchslos und winterhart. **Besonderes:** Auch gut für Pflanzschalen geeignet.

Berg-Segge *Carex montana* ist ein anspruchsloses, horstiges, nur 10 bis 20 cm hohes, sommergrünes Gras mit frischgrünem Austrieb im Frühjahr (zuerst Ährenblüten ab März) und rostbrauner Herbstfärbung. Hübsch zusammen mit Steingartenstauden, auch als Bodendecker geeignet.

Vogelfuß-Segge *Carex ornithopoda* bildet ab März dichte kleine, immergrüne Horste von 10 bis 15 cm Höhe, mit am Ende gebogenen schmalen Blättern und überhängenden Blütenständen. Die weißgestreifte Sorte 'Variegata' braucht in rauen Lagen etwas Winterschutz.

Stauden für sonnige Grabbeete

Gewöhnliches Silbergras

Corynephorus canescens

Wuchs: Dichte, kleine, rasierpinselartige Horste von 10 bis 15 cm Höhe, deren aufrechte, schmale, immergrüne Blätter goldfarben schimmern. **Blüte:** Von Mai bis August, etwa 30 cm hohe, schmal-längliche, fein verzweigte, silbrige Rispen an Stängeln mit dunklen Knoten. **Boden:** Sandige, lockere, magere und trockene Böden. **Pflege:** Verträgt Trockenheit, Hitze und Nährstoffarmut. Bei zu dichter Rasenbildung können einzelne Horste abgestochen werden. **Besonderes:** Passt gut zu Zwerg-Kiefern und Erika, da typische Pionierpflanze auf Lockersand.

Gold-Wolfsmilch

Euphorbia polychroma

Wuchs: Aufrecht und vieltriebig, bis 40 cm hoch, mit grünem oder rötlichem (Sorte 'Purpurea') Laub. **Blüte:** Leuchtend gelbe Blütenstände von April bis Mai, die auch nach der Blütezeit, vertrocknet, noch hübsch aussehen. **Boden:** Trocken, felsig oder sandig-lehmig, auch kalkhaltig. **Pflege:** Vertrocknete Stängel im Frühjahr kurz vor dem Neuaustrieb abschneiden. **Besonderes:** Im Herbst verfärben sich Laub und Samenstände orangerot und sehen den ganzen Winter über dekorativ aus, besonders hübsch sind die Sorten 'Candy', 'Orange Flush' und 'Messing'.

Heide-Nelke *Dianthus deltoides* ist eine niedrige, rasenartig wachsende Staude für trockene, sandige, neutrale bis saure Böden; zahlreiche Sorten mit weißen, rosafarbenen und roten Blüten von Juni bis September. Besonders schön zusammen mit Zwerg-Glockenblumen, Gräsern, Thymian, Heide.

Kriechendes Schleierkraut *Gypsophila repens* ist für durchlässige, kalkhaltige, nicht zu trockene Böden geeignet. Die mattenbildende graugrüne Staude mit langen kriechenden Trieben bildet rosa Blütchen von Mai bis August. Dekorativ auf einer Mulchdecke aus blaugrauem Kalksplitt.

Dalmatiner Storchschnabel

Geranium dalmaticum

Wuchs: Dichte Polster bildende, nur 5 bis 10 cm hohe sommer- und wintergrüne Staude, die sich auch gut als Bodendecker eignet. **Blüte:** Von Mai bis Juli in Weiß (Sorte 'Album') und Reinrosa (Sorte 'Bressingham Pink'). **Boden:** Steinig oder sandig und trocken, auch Mauern und Fugen, neutral bis basisch. **Pflege:** Sehr trockenresistent, gelegentlich braune Blätter abzupfen. Auch für Pflanzschalen geeignet. **Besonderes:** Bildet im Spätsommer an der Stängelspitze kleinere Winterblätter aus, die im Frühjahr von größeren Sommerblättern überwachsen werden.

Sonnenröschen

Helianthemum nummularium

Wuchs: Immergrüner Halbstrauch, niedrig kriechend (5 bis 10 cm hoch), mit graugrünem filzigen Laub. **Blüte:** Meist gelbe Blüten, die sich von Mai bis August nur am Vormittag öffnen (Sorte 'Schatzalp' mit orangeroten Blüten, auch am Nachmittag geöffnet). **Boden:** Für trockene, magere, auch felsige Standorte. **Pflege:** Nach der Blüte im August zurückschneiden, damit die Triebe nicht zu lang werden. Eine Mulchdecke schützt den wintergrünen Flachwurzler vor Frosttrocknis an sonnigen Wintertagen. **Besonderes:** Englische Hybriden sind bei uns selten winterhart!

Blaugraues Schillergras *Koeleria glauca* 'Minima' ist ein nur 5 bis 15 cm hohes immergrünes Gras mit rauen, blaugrauen, schmalen Blättern. Je magerer der Boden, desto dichter werden die Horste. Schön als Bodendecker, zu Heidekraut und Zwerg-Kiefer, als Einfassungspflanze.

Lavendel *Lavandula angustifolia* Kompakter immergrüner Kleinstrauch mit schmalen, filzig behaarten Blättern. Höhe je nach Sorte 20 bis 50 cm. Blüten weiß, rosa oder violett im Juli und August. Dekorative winterharte Einzelpflanze für trockene Standorte. Im Frühjahr um die Hälfte einkürzen.

Stauden für sonnige Grabbeete

Rosmarin

Rosmarinus officinalis

Wuchs: Dekorativer immergrüner, buschig wachsender Halbstrauch mit graugrünem Laub, vor allem zur Einzelstellung geeignet. **Blüte:** Sehr dekorativ, je nach Sorte weiß, hellblau oder violett. **Boden:** Wünscht als Zierpflanze eher magere, wasserdurchlässige, sandige oder steinige, neutrale bis kalkhaltige Böden. **Pflege:** Rückschnitt im März; wenn er stark beerntet wird, sind gelegentliche Humusgaben zu empfehlen. Braucht Winterschutz, nur die Sorte 'Arp' ist in unseren Breiten frosthart. **Besonderes:** Alte und vielseitige Heil-, Räucher- und Gewürzpflanze.

Garten-Salbei

Salvia officinalis

Wuchs: Immergrüner, aufrecht wachsender Halbstrauch von 50 bis 100 cm Höhe mit graufilzigen Blättern; zahlreichen Sorten mit weißbuntem oder rotem Laub. **Blüte:** Je nach Sorte in Weiß, Rosa, Blau und Violett. **Boden:** Liebt als Pflanze der Felssteppen mageren, trockenen, durchlässigen, steinigen oder sandigen Boden. **Pflege:** Bei starkem Rückschnitt im Frühjahr bleibt der Strauch kompakt. Nach der Blüte nur wenig einkürzen. Ohne Staunässe ist Salbei winterhart. **Besonderes:** Die buntblättrigen Sorten sind empfindlicher und brauchen leichten Winterschutz.

Zwerg-Schwertlilie *Iris pumila* ist eine nur 7 bis 15 cm hohe winterharte Zwiebelpflanze mit kurzen, zwischen den Blättern verborgenen Stängeln; blüht weiß, gelb, blau, dunkelviolett oder zweifarbig von April bis Mai. Kalkhaltiger, trockener, sandiger oder kiesiger Boden; keine Pflege erforderlich.

Steinbrech-Felsennelke *Petrorhagia saxifraga* bildet auf mageren trockenen Böden kleine halbkugelige Polster von 20 bis 30 cm Höhe und Breite sowie von März bis April rosa Blüten in zierlichen Blütenständen. Es gibt auch weiße und gefüllte Sorten, die von Juni bis September blühen.

Bodendecker für sonnige Grabbeete

Echte Bärentraube

Arctostaphylos uva-ursi

Wuchs: Niederliegendes Heidekrautgewächs (30 bis 100 cm) mit verholzenden Trieben und immergrünen, dicken, glänzenden, eiförmigen Blättern. **Blüte:** Weiße bis blassrosa krugförmige Blüten von Mai bis Juni, die sich zu scharlachroten Beeren entwickeln. **Boden:** Sowohl auf mageren, steinigen Böden als auch auf Rohhumus, besonders konkurrenzstark auf basischen und sauren Böden. **Pflege:** Nur auf neutralen Böden Schutz vor Konkurrenz nötig. **Besonderes:** Schön zu Zwergkoniferen, Erika und Zwerg-Ginster; Früchte können mit Preiselbeeren verwechselt werden.

Gewöhnliche Grasnelke

Armeria maritima

Wuchs: Staude, die in üppigen, grasartigen, graugrünen Polstern von 5 bis 15 cm Höhe wächst; wintergrün. **Blüte:** Wildform karminrosa, Unterarten und Sorten auch weiße, rosa und rote Blütenköpfe von Mai bis Juni (eventuell Nachblüte im Spätherbst). **Boden:** Trocken, leicht, mager, wasserdurchlässig. In schweren Böden kommt es zu Fäulnis im Innern der Polster. **Pflege:** Rückschnitt nach der Blüte fördert die Dichte der Polster und eine Nachblüte im Herbst. **Besonderes:** Auch schön als Einfassungspflanze und am Fuß des Grabmals, für Töpfe und Schalen geeignet.

Katzenpfötchen *Antennaria dioica* ist eine ausläuferbildende Polsterstaude mit behaarten silbrigen Blättern und hübschen weißen, rosa oder roten Blüten in mehreren Sorten. Für dichte Teppiche auf mageren, trockenen, neutralen und sauren Böden, schön zusammen mit Heidekraut.

Andenpolster *Azorella trifurcata* bildet niedrige moosartige, immergrüne Rosettenpolster und im Mai/Juni kleine, unscheinbare Blüten; beliebte, aber heikle Art für die Grabbepflanzung. Liebt durchlässigen, aber feuchten Boden, verträgt keine anhaltende Trockenheit.

Bodendecker für sonnige Grabbeete

Weiße Silberwurz

Dryas octopetala

Wuchs: Immergrüner, mattenbildender Spalierstrauch von 5 bis 15 cm Höhe und 60 bis 90 cm Breite, mit verholzendem Wurzelstock. **Blüte:** Weiße, fiedrige Samenstände, 3 bis 4 cm im Durchmesser, von Mai bis August. **Boden:** Steinig, durchlässig, mager, aber nicht zu trocken. **Pflege:** Anspruchsvoll; in trockenen Sommern gießen. Frosthart, an sonnigen Wintertagen bei Gefahr durch Frosttrocknis eventuell leicht abdecken. **Besonderes:** Schön am Fuß des Grabsteins, als Einfassung und über Einfassungen aus Stein wachsend. Passt gut zu anderen Alpenpflanzen.

Blau-Schwingel

Festuca glauca

Wuchs: 10 bis 30 cm hohe Horste mit schmalen Blättern. Die Blattfarbe variiert je nach Sorte von Blaugrau bis Silbergrau. Bildet durch Ausläufer dichte Matten. **Blüte:** Von April bis Juni auf fiedrigen, leicht überhängenden Blütenständen. **Boden:** Mager, sandig oder steinig, trocken bis normal feucht. **Pflege:** Meist sehr winterhart; Schnitt nach der Blüte lässt die Polster dichter erscheinen. **Besonderes:** Wirkt sehr elegant in großen Flächen oder in Mustern gepflanzt, eher naturnah in kleinen Gruppen zusammen mit Zwerggehölzen und Steinsetzungen.

Schleifenblume *Iberis sempervivens* bildet vieltriebige Büschel von 15 bis 30 cm Höhe mit dunkelgrünen, meist lanzettlichen Blättern, die im Mai von weißen Blüten überdeckt werden. Rückschnitt nach der Blüte. Anspruchslose, winterharte Sorten wählen, z. B. 'Zwergschneeflocke'.

Schnee-Heide *Erica carnea* wächst bei dichter Pflanzung und Rückschnitt nach der Blüte bodendeckend. Immergrünes Zwerggehölz für trockene bis normale, leicht saure sandig-humose Böden, mit Rindenschrot mulchen. Schön zu Zwerg-Wacholder, Besenheide und Zwerg-Ginster.

Sand-Thymian

Thymus serpyllum

Wuchs: Polsterförmig oder in dichten Matten wachsendes, ausläuferbildendes, immergrünes Halbgehölz von 5 bis 15 cm Höhe mit winzigen duftenden Blättchen. **Blüte:** Je nach Sorte weiße oder rosa Blüten von Juni bis September. **Boden:** Bevorzugt trockene, sandige, kalkarme Standorte, toleriert aber auch steinige, kalkhaltige Böden. **Pflege:** Rückschnitt zu langer Triebe fördert die Polsterbildung. Nur winterhart bei gutem Wasserabzug. **Besonderes:** Auch für flache Schalen, in Fugen und zwischen Steinen, Sorte 'Coccineus' (karmesinrote Blüten) ist zu empfehlen.

Niederliegender Ehrenpreis

Veronica prostrata

Wuchs: Rasenbildende Staude von 10 bis 20 cm Höhe mit grünen bis graugrünen Blättern an liegenden Zweigen. **Blüte:** Hellviolett bis leuchtend blau an aufrechten Trieben, von Mai bis Juni. Mehrere Formen und unterschiedliche Sorten im Handel. **Boden:** Trocken, mager, durchlässig, sandig bis lehmig. **Pflege:** Zu lange Triebe können jederzeit eingekürzt werden. **Besonderes:** Wird gut von nicht zu schwachwüchsigen Blumenzwiebeln (z. B. Tulpe, Narzisse) durchstoßen. Besonders kompakt wächst die Sorte 'Nana'; auch schön in Pflanzschalen oder als Einfassungspflanze.

Weißer Mauerpfeffer *Sedum album* ist ein besonders trockenresistenter Bodendecker mit kleinen, grünen oder rötlichen, wasserspeichernden Blättern und weißen Blüten in Doldenrispen; 10 bis 15 cm hoch, wächst auch auf Mauern. Nur für magere, trockene, wasserdurchlässige Böden.

Garten-Fetthenne *Sedum floriferum* blüht reichlich von Mai bis Juli in Gelb (Sorte 'Weihenstephaner Gold' in Goldgelb); 10 bis 20 cm hoch, horstbildend. Anspruchslos, liebt magere durchlässige Standorte, gedeiht aber auch auf lehmigen Böden und im Halbschatten.

Zwerggehölze für halbschattige Gräber

Roter Schlitz-Ahorn

Acer palmatum 'Dissectum Garnet'

Wuchs: Meist mehrstämmiger, sehr langsam und horizontal wachsender, baumartiger Kleinstrauch von 1 bis 2 m Höhe und Breite, mit dunkelroten, tief geschlitzten Blättern, im Herbst auffällig leuchtend rote Färbung. **Blüte:** In rötlichen Trauben nach dem Laubaustrieb. **Boden:** Schwach saure, sandig-humose bis lehmige Böden. Auf schweren Böden frostgefährdet. **Pflege:** Möglichst nicht schneiden. Empfindlich bei großer Hitze und Trockenheit. **Besonderes:** Sehr dekoratives Zwerggehölz für dezente und moderne Grabbepflanzungen, schön im Herbst.

Seidelbast

Daphne mezereum

Wuchs: Aufrecht wachsender, kaum verzweigter Kleinstrauch bis 1,5 m Höhe und Breite. **Blüte:** Die Wildform blüht rosa, es gibt eine weiß bis cremeweiß blühende Sorte 'Album' und eine Sorte 'Rubra Selekt' mit leuchtend roten Blüten. Alle blühen von Februar bis April vor dem Laubaustrieb und duften stark und weitreichend. **Boden:** Frische bis feuchte, durchlässige, neutrale bis alkalische, humose lehmige Böden. **Pflege:** Nicht schneiden oder verpflanzen. **Besonderes:** Die hübschen roten Beeren im Herbst (und auch der Rest der Pflanze) sind für Menschen sehr giftig.

Kleiner Berglorbeer *Kalmia angustifolia* 'Rubra' wächst sehr langsam, halbrund und vieltriebig, mit kleinen purpurrosa Blüten an den Zweigenden im Juni bis Juli. Für frische bis nasse, neutrale bis saure, stark humose Böden, verträgt keine Hitze und Trockenheit.

Immergrüne Strauch-Heckenkirsche *Lonicera nitida* 'Maigrün' ist ein dichtbuschig und schnell wachsender Zwergstrauch von 0,7 bis 1 m Höhe und Breite mit kleinen eiförmigen, glänzenden, immergrünen Blättern und weißen Blüten im Mai. Robust, sehr schatten- und schnittverträglich.

Mannsblut

Hypericum androsaemum

Wuchs: Langsam wachsend bis 1 m hoch und breit, mit sommer- bis wintergrünen, großen elliptischen Blättern. **Blüte:** Viele kleine gelbe Blütenbüschel von Juni bis August, die zu dekorativen, erst orangeroten, später schwarzen Scheinbeeren heranreifen. **Boden:** Alle frischen bis feuchten Gartenböden. **Pflege:** Liebt die Wärme, bleibt bei uns immergrün, ist frosthart. Muss nicht (wie das ähnliche Kriechende Johanniskraut) zurückgeschnitten werden, nur abgestorbene Blätter entfernen. **Bemerkungen:** Ähnliche, auch bodendeckende Arten und Sorten im Handel.

Japanische Frucht-Skimmie

Skimmia japonica

Wuchs: Kompakter, breit buschiger, halbrund wachsender Kleinstrauch von bis zu 1,5 m Höhe und Breite, mit immergrünen, hellgrün glänzenden Blättern. **Blüte:** Viele cremeweiße bis weißlich rosafarbene, leicht duftende Rispen an den Triebenden, im Mai und Juni. Die Pflanze ist zweihäusig und bildet nach der Blüte glänzend rote Früchte. **Boden:** Frisch bis feucht, humusreich, leicht sauer bis leicht alkalisch. **Pflege:** Keine Pflegemaßnahmen erforderlich. **Besonderes:** Die Sorte 'Rubella' ist ein männlicher Klon ohne Beeren, aber mit roten Blütenknospen im Winter.

Niedrige Mahonie *Mahonia aquifolium* 'Apollo' ist ein breit buschig, langsam wachsender Kleinstrauch von 0,6 bis 1 m Höhe und Breite mit immergrünen, glänzenden, leicht dornigen Blättern, die sich im Winter rot färben. Gelbe Blütenrispen im Mai, ab August schwarze Beeren.

Berg-Kiefer *Pinus mugo* gibt es in mehreren Zwerg-Sorten bzw. Auslesen von Zwerg-Kiefern mit aufrechtem ('Gnom'), bizarrem (subsp. *mughus*) oder kriechendem (subsp. *pumilio*) Wuchs. Die immergrünen Zwerggehölze tolerieren auch Sonne und trockene Böden.

Stauden für halbschattige Grabbeete

Weicher Frauenmantel

Alchemilla mollis

Wuchs: Dichte, halbkugelförmige Horste von 30 bis 40 cm Höhe und Breite bildend, schnell wachsend. Blätter blassgrün, rundlich, leicht fächerförmig gefaltet und seidig behaart. **Blüte:** Kleine, locker überhängende grüngelbe Rispen im Juni und Juli. **Boden:** Liebt nährstoffreiche lehmige, frische bis feuchte Böden. **Pflege:** Starker Rückschnitt nach der ersten Blüte fördert die Standfestigkeit und eine Zweitblüte im September, vermindert die Selbstaussaat. **Bemerkungen:** Einzige Art der sonnenliebenden Gattung, die auch Halbschatten toleriert. Schön als Einfassungspflanze.

Gewöhnliche Akelei

Aquilegia vulgaris

Wuchs: Aufrecht wachsende, sehr dekorative Staude bis 80 cm Höhe mit 3-fach geteilten, dunkelgrünen Blättern. **Blüte:** Im Mai und Juni, gespornt, in Blau- bis Schwarzviolett, auch Sorten mit weißen, rosa, roten und purpurnen, zweifarbigen oder gefüllten Blüten im Handel. **Boden:** Humos, sandig bis lehmig, locker, nährstoffreich, frisch bis feucht. Verträgt auch den Wurzeldruck vor Hecken. **Pflege:** Pflegeleicht, die Pflanze ist hitzeempfindlich, aber sehr frosthart. Wo es ihr gefällt, sät sie sich selbst aus. **Besonderes:** Nur die höheren Sorten vertragen Schatten.

Gebüsch-Aster *Aster divaricatus* ist eine buschig wachsende bis 60 cm hohe und breite Staude mit weißen Korbblüten, von Ende Juli bis September; dichtwüchsig und konkurrenzstark, aber nicht verdrängend, für mäßig trockene bis frische, sandig-lehmige bis humose Böden.

Schatten-Segge *Carex umbrosa* wächst aufrecht horstig, etwa 20 cm hoch; dekoratives, schmalblättriges immergrünes Gras zur Unterpflanzung von Gehölzen. Verträgt auch lang anhaltende Trockenheit. Zu große Horste ausgraben, mit einem Messer teilen, Teilstück wieder einpflanzen.

Großblütiger Fingerhut

Digitalis grandiflora

Wuchs: Heimische, sehr dekorative, aufrecht und in Gruppen wachsende, langlebige Staude mit großen schmalen Blättern, 50 bis 90 cm hoch, 40 bis 50 cm breit, horstbildend. **Blüte:** Entgegen dem Namen eher kleine, hell- bis schwefelgelbe glockige Blüten in Trauben von Juni bis August. **Boden:** Sehr anspruchslos, gedeiht auf allen nicht zu trockenen Böden. **Pflege:** Abschneiden der Samenstände im September verhindert die Selbstaussaat. **Besonderes:** Lockt Bienen und Schmetterlinge an. Wie beim Roten Fingerhut sind auch hier alle Pflanzenteile sehr giftig!

Schneeweiße Hainsimse

Luzula nivea

Wuchs: Locker horstig wachsendes immergrünes Gras von 40 bis 60 cm Höhe und 40 bis 50 cm Breite, die Sorte 'Schneehäschen' ist etwas zierlicher, die Blätter bei 'Silberling' sind auffallend behaart. **Blüte:** Weiß, erscheint an aufrechten, bis 40 cm hohen Blütenständen von April bis Mai. **Boden:** Liebt frischen, humosen Lehmboden am Rande von Gehölzen. **Pflege:** Die Blütenstände sollten auch im vertrockneten Zustand solange wie möglich stehen bleiben. **Besonderes:** Verträgt auch tiefen Schatten; sehr schön zu Buchs, Azaleen, Zwerg-Kiefern und anderen Zwerggehölzen.

Ruprechts-Storchschnabel *Geranium robertianum* ist eine einjährige, manchmal auch überwinternde Art mit rosa Blüten von März bis Oktober. Durch Selbstaussaat bilden sich dichte, locker wurzelnde Bestände, auch auf trockenen Stellen, die durch Ausreißen korrigiert werden können.

Funkien *Hosta*-Arten gibt es in zahlreichen dekorativen Sorten und Hybriden mit bunten Blättern und unterschiedlichen Blütenfarben. Sie brauchen frischen bis nassen, humosen Boden, vertragen keine Trockenheit. Sehr robust, früh austreibende Sorten sind etwas durch Spätfrost gefährdet.

Stauden für halbschattige Grabbeete

Blaue Himmelsleiter

Polemonium caeruleum

Wuchs: In kleinen Horsten mit dichtem Blattschopf von etwa 30 cm, darüber stehende Blütenstängel bis 80 cm hoch, 30 bis 40 cm breit. Die gefiederten Blätter sind im Austrieb bronzefarbig, dann dunkelgrün. **Blüte:** Viele blaue oder weiße, leicht duftende schalenförmige Blüten in lockeren, aufrechten Rispen von April bis Juni. **Boden:** Alle frischen, humosen Böden. **Pflege:** Verträgt keine trockene Hitze, braucht hohe Luftfeuchtigkeit, sehr frosthart; Spross im Frühjahr oder Herbst zurückschneiden. **Besonderes:** Alte Symbolpflanze im Totenkult und für Grabstätten.

Waldsteinie

Waldsteinia geoides

Wuchs: Niedrige ausgebreitete Horste von 20 bis 30 cm Höhe, die auch Teppiche bilden können. Blätter drei- bis fünflappig, sehr früher frischgrüner Austrieb, später matt-dunkelgrün. **Blüte:** Gelb, ähnlich wie Erdbeerblüte, zwischen den Blättern stehend, von April bis Mai. **Boden:** Mäßig trockener bis frischer, humoser, sandiger Lehm oder Lehmboden. **Pflege:** Wärmeliebend, keine besonderen Pflegemaßnahmen nötig, bei starker Trockenheit im Sommer gießen; frosthart. **Besonderes:** Die Pflanze ist sehr robust, erträgt auch starken Wurzeldruck von Gehölzen.

Goldrute *Solidago*-Hybriden gibt es in zahlreichen Sorten. Für halbschattige Grabbeete eignen sich z. B. 'Goldwedel', 'Laurin', 'Strahlenkrone'. Sie wachsen buschig aufrecht, etwa 60 cm hoch, mit verholzendem Wurzelstock und goldgelben Rispenblüten im Sommer und Herbst.

Großer Ehrenpreis *Veronica austriaca* 'Königsblau' bildet buschige Horste von 30 bis 40 cm Höhe, mit länglichen Blättern und großen, leuchtend blauen Blüten in reichblühenden Ähren von Mai bis Juni. Verträgt Hitze und mäßig trockenen, durchlässigen sowie kalkhaltigen Boden.

Bodendecker für halbschattige Gräber

Kriechender Günsel
Ajuga reptans

Wuchs: Bildet rasch niedrige, bis 20 cm hohe Matten mit kleinen Absenkern, an denen viele Rosetten lückenlos wachsen. Dunkel- bis olivgrüne Blätter, auch im Winter grün, Sorte 'Atropurpurea' im Austrieb dunkelrot. **Blüte:** Kleine lilablaue Lippenblüten in Quirlen, an zahlreichen aufrechten Scheinähren von April bis Juni. **Boden:** Frische bis feuchte, nährstoffreiche, humose, lehmige Gartenerde. **Pflege:** Kann wuchern, ausufernde Ausläufer einfach abschneiden. **Besonderes:** Nicht für trockene Böden geeignet, hier stattdessen Genfer-Günsel (*Ajuga genevensis*) pflanzen.

Teppich-Hartriegel
Cornus canadensis

Wuchs: Bis 20 cm hohes, ausläuferbildendes, flach kriechendes bis teppichartig wachsendes Zwerggehölz mit flachen Wurzeln, bis 20 cm hoch. Durchwuchert auch Laub- und Nadelteppiche. Elliptische dunkelgrüne Blätter, im Herbst rötlich. **Blüte:** Grünweiße Blüten, von vier weißen Hochblättern umgeben, Ende Mai bis Juni. Sie entwickeln sich im Spätsommer zu dekorativen scharlachroten Beeren. **Boden:** Feuchte humose, saure bis schwach saure Böden. **Pflege:** Keine besondere Pflege erforderlich. Eine dicke Laubdecke schützt die Pflanze vor Barfrösten im Winter.

Gänsekresse *Arabis procurrens* ist ein dichter, immergrüner, nur 5 cm hoher rasenartiger, mäßig wüchsiger Bodendecker von 15 cm Höhe mit weißen Blüten von April bis Mai (z. B. Sorte 'Schaumblüte'). Für frische bis mäßig trockene, durchlässige Böden, bei Trockenheit gießen.

Heidekraut *Calluna vulgaris* ist in vielen Sorten mit weißen, rosa oder violetten Blüten im Herbst erhältlich. Immergrüner Zwergstrauch für frischen, humosen, leicht sauren Boden. Regelmäßiger Rückschnitt im Frühjahr um etwa ein Drittel fördert den dichten Wuchs und die Blüte.

Bodendecker für halbschattige Gräber

Immergrüne Kriechspindel

Euonymus fortunei

Wuchs: Kriechender, mit Haftwurzeln kletternder, mattenförmiger Zwergstrauch mit glänzenden, grünen oder bunt gefleckten Blättern (je nach Sorte). **Blüte:** Nur die Altersform trägt in der Sonne gelbgrüne Doldenblüten. **Boden:** Sandig-humose, lockere, normale bis feuchte Lehmböden. **Pflege:** Regelmäßig schneiden, bei großen Flächen Heckenschere verwenden. Buntlaubige Sorten sind etwas frostempfindlicher. **Sorten:** 'Emerald Gaiety' – weiße Blattränder; 'Harlequin' – grün-gelb panaschiertes Laub mit rosa Musterung; 'Minimus' – rein grünes Laub, kompakter.

Pfennigkraut

Lysimachia nummularia

Wuchs: Heimische Staude mit am Boden aufliegenden, zahlreichen, weit verzweigten Ausläufern, bis zu 50 cm weit kriechend, schnell wachsend, 5 bis 10 cm hoch; mit kleinen ovalen, sattgrünen Blättern. Überwächst auch gerne Steine und Beetränder. **Blüte:** Reichlich, direkt am Stängel, sattgelb blühend, von Mai bis Juli. **Boden:** Nur auf feuchten Böden gut deckend. Auf trockenem Boden wird sie von Wurzelläusen befallen. **Pflege:** Zu lange Triebe einfach abschneiden, bei Trockenheit gießen. **Besonderes:** Es gibt auch eine stark leuchtende, goldblättrige Sorte 'Aurea'.

Wald-Erdbeere *Fragaria vesca* ist eine gut bodendeckende Staude für trockene und normale Böden. Wächst auch auf Rindenmulch und unter Nadelgehölzen. Blüht weiß von April bis Juni, danach dunkelrote beerenähnliche Sammelfrüchte. Zu lange Ausläufer lassen sich leicht entfernen.

Scheinbeere *Gaultheria procumbens* wächst als mattenförmig kriechender, immergrüner Zwergstrauch mit weißrosa Glöckchenblüten ab Juni und leuchtend roten Beeren bis zum Frühjahr. Für frische, sauer-humose Böden. Empfindlich gegen Trockenheit, aber meist frosthart und stark wüchsig.

Gedenkemein

Omphalodes verna

Wuchs: Bildet ab zeitigem Frühjahr dichte, bis 25 cm hohe Teppiche aus frischgrünen Blättern. **Blüte:** In kleinen Trauben, himmelblau mit weißem Auge, von März bis Mai. **Boden:** Frische bis feuchte, humose, nährstoffreiche oder lehmige Böden unter Gehölzen. **Pflege:** Die Pflanze wächst durch das Herbstlaub hindurch (Laubschlucker) und braucht es als Winterschutz. **Besonderes:** Wie auch das Vergissmeinnicht eine alte Symbolpflanze in der Bestattungskultur. Lockt Bienen und Schmetterlinge an. **Sorten:** 'Alba' blüht weiß, 'Elfenauge' hat türkisblaue Blütchen.

Porzellanblümchen

Saxifraga x *urbium* 'Clarence Elliott'

Wuchs: Bildet bis 5 cm hohe, dichte immergrüne Teppiche aus niedrigen Blattrosetten. Zahlreiche Hybriden im Handel, teils mit bronzefarbigen Blättern und rötlichen Stängeln. **Blüte:** Weiße oder rosafarbene, sternförmige Blütchen an etwa 20 cm langen aufrechten Stängeln von Mai bis Juni. **Boden:** Frisch bis feucht, nahrhaft, durchlässig, sauer bis neutral, sandig- oder lehmig-humos. **Pflege:** Bei Trockenheit gießen. **Besonderes:** Für Pflanzschalen geeignet. **Bekannte Sorten:** 'Clarence Elliott' und 'Elliott's Variety', werden oft fälschlicherweise *Saxifraga umbrosa* zugeordnet.

Sternmoos *Sagina subulata* bildet als wintergrüne Staude (kein Moos!) sehr niedrige Matten, mit winzigen weißen Blüten von Juni bis August. Für sandige, durchlässige Böden, die aber im Sommer nicht austrocknen dürfen. Schön für ornamentale Pflanzungen; gelbgrüne Sorte 'Aurea'.

Rundblättriger Steinbrech *Saxifraga rotundifolia* ist eine durch Selbstaussaat dichte Polster bildende, buschige Kleinstaude mit weißen, gepunkteten Blüten in lockeren Rispen an 30 bis 60 cm hohen Stängeln, von Juni bis Juli. Sehr hübsch neben Farnen und immergrünen Gräsern.

Gehölze für schattige Grabbeete

Gewöhnliche Stechpalme

Ilex aquifolium

Wuchs: Breit, etwas wirr wachsender immergrüner Großstrauch bis Kleinbaum in zahlreichen, auch buntlaubigen Sorten (z. B. 'Myrtifolia Aurea', siehe Bild) mit glänzenden, dornigen Blättern. Wird an sich für Gräber zu groß (3 bis 6 m), kann aber stark zurückgeschnitten werden. **Blüte:** Zweihäusig, unscheinbar weiß, im Mai. **Boden:** Alle durchlässigen, nährstoffreichen Böden. **Pflege:** Vor Trockenheit und Wintersonne schützen, Boden durch Mulchdecke immer feucht halten. **Besonderes:** Kann auch in strenge Formen geschnitten bzw. als Formgehölz gekauft werden.

Gewöhnlicher Liguster

Ligustrum vulgare

Wuchs: Breit buschiger, locker aufrechter, schnittverträglicher, heimischer Strauch, 2 bis 5 m hoch und breit; in milden Lagen immergrün, mit kleinen dunkelgrünen Blättern. **Blüte:** Kleine weiße Blütenrispen mit etwas strengem Geruch im Juni und/oder Juli. Ab August schwarze, schwach giftige Beeren. **Boden:** Anspruchslos, für alle, außer stark saure Substrate geeignet. **Pflege:** Sehr schnittverträglich. **Besonderes:** Die Zwergformen 'Compactum' und 'Lodense' wachsen sehr langsam, werden nur bis maximal 1,2 m hoch und müssen daher nicht geschnitten werden.

Strauch-Efeu *Hedera helix* 'Arborescens' wächst als ausladender, dicht buschiger, immergrüner Kleinstrauch; winterhart, anspruchslos; Blätter herzförmig ungelappt, glänzend dunkelgrün; trägt im Herbst gelbgrüne Blüten, die sich in schwarze, kugelige Beeren (giftig) verwandeln.

Kirschlorbeer *Prunus laurocerasus* ist ein flach wachsender, anspruchsloser, immergrüner Strauch mit dunkelgrünen, glänzenden Blättern und weißen Blütentrauben im Mai. Tipp: Nur die klein bleibenden Sorten, z. B. 'Zabeliana' oder 'Mount Vernon', sind für Grabstätten geeignet.

Blaue Heckenkirsche

Lonicera caerulea

Wuchs: 1 bis 1,5 m hoher, mäßig wüchsiger, leicht überhängender, sommergrüner Kleinstrauch; elliptische Blätter, im Frühjahr hellgrüner Austrieb, später dunkelgrün, im Herbst gelbgrün. Im Winter auffallend rötlichbraune, abschälende Rinde. **Blüte:** Klein, gelblichweiß, trichterförmig, schwach duftend, April bis Mai. Später schwarzblaue, eiförmige bereifte Doppelbeeren. **Boden:** Feuchte bis nasse, saure bis neutrale, humose oder lehmige Erden, kühler Standort. **Pflege:** Liebt hohe Luftfeuchtigkeit und eine Mulchdecke aus Laub oder Rindenschrot, frosthart.

Gelbe Alpenrose

Rhododendron luteum

Wuchs: Niedriger, breit wachsender, sommergrüner Strauch, Wildform wird bis zu 4 m hoch, es gibt jedoch zahlreiche kleiner bleibende Sorten und Hybriden im Handel. **Blüte:** Vorwiegend gelbe, aber auch orangerote, pinke und rote Sorten, blüht ab Mai vor dem Blattaustrieb. **Boden:** Nur feuchte, humusreiche, lockere, leicht saure Böden. Eine Mulchdecke mit Rindenschrot ist sehr günstig. **Pflege:** Im Sommer reichlich gießen, Düngen ist in der Regel nicht nötig (ggf. nur Spezialdünger verwenden). **Besonderes:** Für schattige Standorte sind nicht alle Sorten geeignet.

Hybrid-Eibe *Taxus* x *media* gibt es in zahlreichen, langsam wachsenden und klein bleibenden Sorten in verschiedenen Formen. Immergrüner Strauch, sehr schnittverträglich, auch als Formgehölz erhältlich. Für alle frischen bis feuchten Böden, sehr frostfest. Ganze Pflanze ist giftig!

Immergrüner Kissen-Schneeball *Viburnum davidii* wächst als dicht buschiger, halbrunder, bis 1,5 m hoher immergrüner Zwergstrauch mit großen, adrigen, dunkelgrünen Blättern und weißen Trugdoldenblüten im Juni. Für frische bis feuchte, humusreiche Böden in wintermilden Lagen.

Stauden für schattige Grabbeete

Hirschzungenfarn

Asplenium scolopendrium

Wuchs: Dekorativer immergrüner, 15 bis 35 cm hoher, aufrecht in Büscheln wachsender Farn mit leuchtend hellgrünen bis dunkelgrünen, ungefiederten, bis 50 cm langen Wedeln an rotbraunen Stielen, horstbildend. **Blüte:** Keine Blüte, Farne bilden Sporen, die in Streifen auf der Blattunterseite reifen. **Boden:** Braucht leicht kalkhaltigen bis neutralen, steinigen und frischen, humosen Boden. **Pflege:** Bevorzugt hohe Luftfeuchtigkeit, Schneeschutz durch leichte, luftdurchlässige Abdeckung mit Reisig. **Besonderes:** Es gibt zahlreiche Auslesen mit unterschiedlichen Wedeln.

Elfenblume

Epimedium-Arten und Sorten

Wuchs: Zierliche, 20 bis 40 cm hohe Staude mit herzförmigen Blättern, die durch spätes Einziehen und frühen Austrieb immergrün zu sein scheinen. Wächst gesellig, bodendeckend. **Blüte:** Zierliche, leicht überhängende Rispen in Rosa, Lila, Weiß, Gelb oder zweifarbig, April/Mai. **Boden:** Für humose, lockere, frische bis feuchte Waldböden. **Pflege:** Immer feucht halten, gelegentlich vertrocknete Blätter abschneiden, Laub im Winter liegen lassen. **Besonderes:** Das ganze Jahr über wechselnde Reize; sehr formenreiche Gruppe, hybridisiert leicht, deshalb nur eine Sorte pflanzen.

Wald-Storchschnabel *Geranium sylvaticum* ist eine hübsche Staude mit gefiederten Blättern, meist 30 bis 60 cm hoch; wächst in Gruppen an Säumen und unter Gehölzen auf frischem, humosem Boden. Viele Blüten von Juni bis August, in Weiß, Rosa oder Rot. Toleriert Herbstlaub.

Nickendes Perlgras *Melica nutans* wird 30 bis 50 cm hoch; weiches, locker wachsendes Gras mit überhängenden zierlichen Rispen ab Mai. Erträgt gut trockene, schattige Stellen unter Gehölzen. Die Sorte 'Variegata' hat weiß gestreifte Blätter und fügt sich ebenso gut in artenreiche Pflanzungen ein.

Hundszahn

Erythronium dens-canis

Wuchs: 10 bis 15 cm hohe Staude mit dunkelgrünen gesprenkelten, in dichten Horsten stehenden Blättern. **Blüte:** Zurückgebogene Blütenblätter in Weiß, Rosa, Violett oder Rot, je nach Sorte, von März bis April. Sorten sind blühwilliger als die Wildform. **Boden:** Frische, humose und durchlässige Böden. **Pflege:** Boden im Sommer nicht austrocknen lassen. **Bemerkungen:** Meist nur als Zwiebeln im Handel, die im Herbst in Gruppen gesteckt werden. An zusagenden Standorten Selbstaussaat und Verwilderung des hübschen Frühblühers, z. B. unter Azaleen oder mit Farnen.

Blaues Pfeifengras

Molinia caerulea

Wuchs: Straff aufrecht wachsende Horste von 40 bis 80 cm Höhe, mit schmalen Blättern; im Winter gelbbraun verfärbend, aber weiterhin dekorativ. **Blüte:** Aufrechte, violett getönte Rispen ab Juni. **Boden:** Sauer oder basisch, wechselfeucht bis nass, tonig oder sandig. **Pflege:** Trockene Blätter und Halme bis zum Neuaustrieb stehen lassen. Zu große Horste können geteilt werden. **Bemerkungen:** Attraktive Sorten mit weißgestreiften ('Variegata'), schwarzbraunen ('Moorhexe') oder im Herbst goldgelben Blättern ('Winterfreude', 'Dauerstrahl') sind im Handel erhältlich.

Gemeiner Tüpfelfarn *Polypodium vulgare* wächst mattenförmig; wintergrüner, kleiner Farn mit frischgrünen, einfach gefiederten Wedeln. Sehr pflegeleicht, toleriert auch mäßig feuchte Böden, liebt milde Winter und hohe Luftfeuchte. Schöne Sorten: 'Trichomanoides' und 'Bifido Multifidum'.

Echtes Lungenkraut *Pulmonaria officinalis* ist eine niedrige, horstige Staude mit weichen, teilweise wintergrünen, meist hell gefleckten Blättern und blauvioletten Blüten (auch weiße, hell- oder dunkelblaue Sorten) von April bis Juni. Liebt frischen, nährstoffreichen, kalkhaltigen Boden.

Bodendecker für schattige Grabbeete

Gewöhnlicher Efeu

Hedera helix

Wuchs: Am Boden kriechendes oder mit Haftwurzeln kletterndes immergrünes Gehölz mit drei- bis fünflappigen Blättern. **Blüte:** Nur die Altersform blüht im Herbst in gelben, kugeligen Dolden, aus denen sich schwarze Beeren entwickeln. **Boden:** Bevorzugt anfangs eher feuchten, humusreichen Boden, eingewachsen wird auch gut Trockenheit vertragen. **Pflege:** Als Bodendecker ist regelmäßiger Schnitt der zu langen Triebe wichtig. **Besonderes:** Sorten mit panaschiertem Laub (z. B. 'Goldheart', s. Bild) vergrünen oft im tiefen Schatten oder nach dem Schnitt.

Wald-Sauerklee

Oxalis acetosella

Wuchs: Sehr hübscher, nur 5 bis 15 cm hoher, dichter Bodendecker für den tiefen Schatten mit frisch- bis dunkelgrünem Blatt (Form ähnlich einem Kleeblatt). **Blüte:** Einzeln stehend, weiß mit roten Adern (rosa blühend Sorte 'Rosea', s. Bild), von April bis Mai. **Boden:** Humose feuchte, auch saure Waldböden, wächst auch unter Nadelgehölzen und durch eine Mulchdecke hindurch. **Pflege:** Boden immer leicht feucht halten. **Besonderes:** Kommt mit nur 4 % des bei uns eingestrahlten Sonnenlichts aus, ist daher die am meisten Schatten vertragende heimische Blütenpflanze.

Haselwurz *Asarum europaeum* ist eine flach wachsende Staude mit glänzenden, nierenförmigen, dunkelgrünen Blättern und kleinen, zipfelförmigen, braunen Blüten. Wächst auf lehmigen, nährstoffreichen, eher trockenen Böden im tiefen Schatten, ab 500 m Höhe auch in sonnigen Bereichen.

Immergrüne Breitblatt-Segge *Carex plantaginea* ist eine horstige Art mit flach gestellten, immergrünen Blättern und langen Blütenähren (ab April); wächst auch im trockenen Schatten und bildet einen schönen Kontrast zu vielen Frühjahrsblühern. Nur Pflanzen mit Topfballen ansiedeln.

Japanisches Dickmännchen

Pachysandra terminalis 'Green Carpet'

Wuchs: Dichte, flache, bis 30 cm hohe Matten bildendes immergrünes Zwerggehölz mit stark glänzenden, fleischigen, dunkelgrünen Blättern. **Blüte:** Im April und Mai weiße aufrechte Ähren. **Boden:** Locker, humos, leicht sauer und frisch, andernfalls nicht bodendeckend; wächst auch unter Bäumen. **Pflege:** Duldet nur mäßigen Laubfall, Boden stets feucht halten, an den Beeträndern schneiden. **Besonderes:** Auf eher trockenen und humusarmen Böden eignet sich das Amerikanische Dickmännchen (*Pachysandra procumbens*) besser, das es auch in verschiedenen Blattfarben gibt.

Kleines Immergrün

Vinca minor

Wuchs: Mattenförmiger, langsam wüchsiger, immergrüner Halbstrauch mit kleinen, dunkelgrünen Blättern an langen Trieben, 10 bis 30 cm hoch. **Blüte:** Blüten in Hellviolett, Lilablau oder Weiß (Sorte 'Alba') ab Ende April, nachblühend bis September. **Boden:** Bei Pflanzung nur lockere, nährstoffreiche, frische bis feuchte Standorte. **Pflege:** Zu lange Triebe am Beetrand abschneiden, empfindlich gegen Tritt und Bodenverdichtung. Das Herbstlaub kann liegen bleiben, da guter Laubschlucker. **Besonderes:** Im eingewachsenen Zustand auch hitzeverträglich und sehr frosthart.

Schlangenbart *Ophiopogon planiscarpus* hat immergrüne, dunkle, grasartige Blätter. Er wächst langsam; auch für kleine Gräber geeignet. Er gedeiht auch an tief schattigen und trockenen Standorten unter alten Bäumen, braucht aber in rauen Lagen eine Winterabdeckung aus Laub oder Reisig.

Schaumblüte *Tiarella cordifolia* ist eine sommer- bis wintergrüne, rasch wachsende Staude mit herzförmigen, gelappten Blättern (es gibt auch Sorten mit rötlichem Laub) und vielen weiß-rosa Blüten von April bis Mai an etwa 30 cm hohen Rispen. Geeignet für saure Böden.

Saisonpflanzen für den Frühling

Busch-Windröschen

Anemone nemorosa

Wuchs: Kleine Staude, die unter Laubgehölzen und vor Hecken 15 bis 20 cm niedrige Teppiche mit mattgrünen, fingerförmigen, tief eingeschnittenen Blättern bildet. Pflanze zieht ab Ende Mai wieder ein. **Blüte:** Große sternförmige Blüten von März bis Mai; die heimische Wildform blüht weiß, es sind aber zahlreiche Sorten mit rosafarbenen oder hellblauen, auch gefüllten Blüten im Handel. **Boden:** Humusreiche, im Frühjahr ausreichend feuchte Wald- und Gartenböden. **Pflege:** Vermehrung durch Teilung, sät sich aber auch selbst aus. Liebt eine dicke Laubdecke im Winter.

Hohler Lerchensporn

Corydalis cava

Wuchs: Anmutig aufrecht, 15 bis 30 cm hoch wachsende Staude mit kleinen, dreizähligen, eingeschnittenen, blaugrünen Blättern, die ab Mai wieder einziehen. **Blüte:** Dichte Trauben mit meist roten, aber auch weißen, rosa oder blassgelben gespornten Blüten von März bis April, oft auch mehrere Farben in einer Pflanzung. **Boden:** Humoser Laubwaldboden, wächst aber auch im Halbschatten vor Nadelgehölzen. **Pflege:** Im Frühjahr Boden feucht halten, Herbstlaub über Winter lange liegen lassen. **Bemerkungen:** Variable Art mit vielen Rassen und Blütenfarben, verwildert leicht.

Krokus *Crocus*-Arten und -Sorten sind in vielen Wild- und Gartenformen erhältlich, die von Februar bis März weiß, gelb oder violett (auch zweifarbig) blühen; Zwiebeln im Herbst in Gruppen in lockere Erde, etwa 10 cm tief (Abstand 5 bis 10 cm) stecken und mit Laub abdecken.

Narzisse *Narcissus*-Arten und -Sorten in Gelb und Weiß gibt es für jeden Boden; kleine Wildarten wirken auf dem Grab natürlicher und verwildern oft selbst. Die Zwiebeln im Herbst in Gruppen etwa 5 bis 10 cm tief in die lockere Erde legen. Das Laub immer bis zur Welke stehen lassen.

Vorfrühlings-Alpenveilchen

Cyclamen coum

Wuchs: Kompakte, 10 bis 15 cm hohe Staude mit herzförmigen, mehr oder weniger silbrig gezeichneten, dunkelgrünen Blättern, die sich in dichten Tuffs nach der Blüte zeigen. **Blüte:** Oft schon im Februar rosarote Blüten, aber auch hellrosa und weiße Varianten im Handel. **Boden:** Humose frische Waldböden mit Laubabdeckung im Winter. **Pflege:** Keine besonderen Pflegemaßnahmen nötig. **Bemerkungen:** Im lichten Schatten ziehen die Blätter auch im Sommer nicht ein und bilden dichte bis bodendeckende Tuffs. Nur diese Art ist in allen Gegenden absolut winterhart.

Wald-Vergissmeinnicht

Myosotis sylvatica

Wuchs: Zweijähriger Bodendecker von 20 bis 40 cm Höhe, mit rauen mattgrünen Blättern. **Blüte:** Hell- bis tiefblaue, manchmal auch weiße Blüten von Mai bis Juli. **Boden:** Humose bis normale Gartenböden, bevorzugt Halbschatten, z. B. unter Gehölzen. **Pflege:** samt sich selbst aus, im Sommer erscheinen dann die neuen Pflänzchen. Die vorjährigen werden bei Trockenheit oft von Mehltau befallen. Sie lassen sich leicht ausreißen. **Bemerkungen:** Es gibt viele Gartensorten mit niedrigem, kompaktem oder halbkugelförmigem Wuchs (z. B. 'Blaue Kugel', 'Indigo kompakt').

Kissen-Primel *Primula vulgaris* wächst als hübscher Frühjahrsanzeiger mit niedrigen Blattrosetten in kleinen Rudeln unter lichten Gebüschen, aber auch auf steinigen, trockenen Standorten. Blüht in Büscheln blassgelb von März bis Mai; die Samen werden von Ameisen verbreitet.

Wohlriechendes Veilchen *Viola odorata* ist eine kleine, dichte Teppiche bildende, winterharte Staude mit dunkelgrünen, herzförmigen Blättern und violetten, zart duftenden Blüten im März. Für frische nährstoffreiche Böden an Gehölzrändern. Es gibt auch andersfarbige und gefüllte Sorten.

Saisonpflanzen für den Sommer

Fleißiges Lieschen

Impatiens walleriana-Hybriden

Wuchs: Dichte Kissen bildendende, aufrecht buschige, nicht winterharte Sommerblume. Für das Grabbeet nur die niedrigen, etwa 20 bis 25 cm hohen Sorten verwenden. **Blüte:** Von Juni bis September, meist ungefüllte Blüten in Weiß, Rosa und Rot. Die gefüllt blühenden Sorten entwickeln sich nur in schönen Sommern und bei Schutz vor Regen. **Boden:** Frisch, wasserdurchlässig, nie trocken, in sonniger bis halbschattiger Lage. **Pflege:** Verwelkte Blüten immer wieder ausknipsen; ab Mai/Juni ins Beet oder in die Pflanzschale setzen.

Männertreu

Lobelia erinus

Wuchs: Rundlich buschiger, aufrechter bis überhängender, 10 bis 20 cm hoher Wuchs und schmale dunkelgrüne Blätter. Die hängenden Sorten eignen sich nur für hohe Gefäße und Blumenampeln. **Blüte:** Kleine blaue Blüten von Mai bis Oktober, oft mit weißem Auge, aber auch weiße, rosa und violette Sorten sind im Handel. **Boden:** Durchlässig, frisch, humos, am besten im Halbschatten. **Pflege:** Stets gleichmäßig feucht halten, mehrmals schwach dosiert nachdüngen; manche Sorten müssen nach der Blüte um ein Drittel zurückgeschnitten werden.

Sommeraster *Callistephus chinensis* gibt es in vielen Sorten von 15 bis 100 cm Höhe; buschiger Wuchs; blüht in vielen Farben, einfach bis gefüllt, von Juni bis Oktober. Für frische, sandig-humose Böden in der Sonne; nicht austrocknen lassen; Verblühtes regelmäßig entfernen, nachdüngen.

Fuchsie *Fuchsia*-Hybriden sind ursprünglich verholzende Stauden, bei uns aber nicht winterhart. In vielen Sorten von 20 bis 150 cm Höhe, mit glockenförmigen, meist zweifarbigen Blüten von Mai bis Oktober. Für windgeschützte, halbschattige bis schattige Standorte mit humoser feuchter Erde.

Sommer-Phlox
Phlox drummondii

Wuchs: Einjährige Sommerblume mit aufrechtem, buschigem Wuchs, je nach Sorte 10 bis über 50 cm hoch, mit länglichen Blättern. **Blüte:** Klein, tellerförmig, in Trugdolden, von Juni bis September. Sorten mit weißen, rosa, roten, violetten und gelben Blüten, auch in Farbmischungen im Handel. **Boden:** Humus- und nährstoffreich, durchlässig, nicht zu trocken, für sonnige Standorte. **Pflege:** Bei Trockenheit gießen, bei Blühbeginn mit kalibetontem Dünger oder Kompost versorgen. Verblühtes regelmäßig entfernen. **Besonderes:** Nicht mit dem Stauden-Phlox verwechseln!

Mehl-Salbei
Salvia farinacea

Wuchs: Straff aufrecht wachsende, bei uns einjährige Staude von 60 bis 80 cm Höhe, mit flaumig behaartem Stängel und schmalen, glänzend grünen Blättern. **Blüte:** Schlanke Blütenkerzen mit weißen, blauen oder violetten Lippenblüten (je nach Sorte), von Mai bis Oktober. **Boden:** Für lockere, frisch humose, nährstoffreiche Böden an sonnigen Standorten. **Pflege:** Mehrmals düngen, Verblühtes entfernen; Entspitzen fördert einen buschigen Wuchs. **Besonderes:** Anzucht im März bei 20 °C, ab Mitte Mai auspflanzen. Nicht mit mehrjährigen Salbei-Arten verwechseln.

Duftsteinrich *Lobularia maritima* ist eine einjährige Sommerblume, die in der Sonne von Juni bis Oktober dichte, niedrige und duftende Polster mit weißen, rosa oder violetten Blüten bildet. Für lockere, eher magere und kalkhaltige Böden. Nach der Hauptblüte zurückschneiden und düngen.

Stiefmütterchen *Viola tricolor* ist eine variable Art in vielen Sorten, meist 30 bis 40 cm hoch, mit meist zweifarbigen Blüten in vielen Farben von Mai bis September. Für frische, humose Böden im Halbschatten geeignet. Verblühtes regelmäßig entfernen. Kleinblütige Sorten blühen reicher.

Saisonpflanzen für den Herbst

Berg-Aster

Aster amellus

Wuchs: Eine dauerhafte, bis 50 cm hohe, aufrecht buschige Staude mit lanzettlichen, mattgrünen und rauhaarigen Blättern. **Blüte:** In vielen Sorten in blauvioletten (Bild: Sorte 'Veilchenkönigin') und rosa Farbtönen, mit intensiv gelben Staubgefäßen, von Juli bis Oktober. **Boden:** Für trockene, magere, gerne kalkhaltige, steinige oder sandige Plätze in der vollen Sonne. **Pflege:** Nach der Blüte die Stängel tief zurückschneiden. Staude alle zwei bis drei Jahre durch Teilung verjüngen. **Besonderes:** Dekorativ in naturnahen Pflanzungen, am sonnigen Gehölzrand und mit Gräsern.

Moschus-Malve

Malva moschata

Wuchs: Aufrecht buschig wachsende, dicht verzweigte, bis 1 m hohe Staude mit tief eingeschnittenen Blättern. **Blüte:** Hellrosa bis rosa, schwach nach Moschus duftend, etwa 5 cm im Durchmesser, von Juni bis September. **Boden:** Durchlässiger, nicht zu nährstoffreicher Sand- oder Lehmboden an sonnigen Standorten. **Pflege:** Sehr anspruchslos, bei Bedarf mit einem Stab stützen. **Besonderes:** Samt sich selbst aus, deshalb die neuen Pflänzchen bis auf drei neue ausdünnen. Alte Bauerngartenstaude, die Bienen und Schmetterlinge anlockt, für die Einzelstellung auf dem Grabbeet.

Goldhaar-Aster *Aster linosyris* ist eine bis 40 cm hohe, aufrechte Staude mit grasartigen Blättern und kleinen, goldgelben Blütentrauben von August bis September. Für magere, trockene Böden in der Sonne, schön zusammen mit Federgräsern und Berg-Astern. Nach der Blüte zurückschneiden.

Topf-Heide *Erica gracilis*, bei uns nicht winterhartes Gehölz, von 20 bis 40 cm Höhe, für sonnige bis halbschattige Standorte und humosen Boden. Blüht weiß, rosa oder rot von September bis Dezember. Typische Saisonpflanze für Gräber, die in Massen gezogen und im Herbst gepflanzt wird.

Sonnenhut

Rudbeckia fulgida

Wuchs: Eine 60 bis 100 cm hohe, aufrecht wachsende, horstbildende Staude in mehreren Varietäten und Sorten (bekannteste Sorte: *Rudbeckia fulgida* var. *sullivantiii* 'Goldsturm', s. Bild). **Blüte:** Goldgelb, mit dunkelbrauner Mitte von Juni bis September/Oktober. **Boden:** Für alle trockenen bis frischen Gartenböden in der Sonne, Halbschatten wird toleriert. **Pflege:** Vermehrung durch Teilung im Herbst, nach der Blüte zurückschneiden; auf genügend Abstand zu Nachbarpflanzen achten. **Besonderes:** Sehr schön in Kombination mit Gräsern, Astern und Steppen-Salbei.

Purpur-Fetthenne

Sedum telephium

Wuchs: 30 bis 50 cm hohe, aufrecht wachsende, dauerhafte Staude mit ovalen dickfleischigen Blättern. **Blüte:** Meist rosa, rot oder kupferfarben, je nach Varietät bzw. Sorte, von September bis Oktober. **Boden:** Für trockene, magere, sandige bis steinige, auch kalkhaltige Böden. **Pflege:** Keine Pflegemaßnahmen erforderlich, die Sukkulente erträgt lange Trockenperioden und große Hitze. **Besonderes:** Der vertrocknete Blütenstand behält lange seine Farbe, dient als Winterschmuck und sollte daher nicht vor dem Neuaustrieb im Frühjahr abgeschnitten werden; schön zu Gräsern.

Dost *Origanum vulgare* wird 10 bis 50 cm hoch; variable Staude, je nach Unterart und Sorte mit weißen, rosa oder purpurfarbenen Blüten von Juli bis Oktober. Besonders geeignet für trockene, sonnige Standorte mit magerem Boden. Duftet und zieht daher Bienen und Schmetterlinge an.

Silberblatt *Senecio cineraria* ist ein dekorativer, einjährig kultivierter Halbstrauch mit silbergrauem gefiedertem Laub, der im Herbst als Blattschmuck für Gräber und Gestecke verwendet wird. Schön in kleinen Gruppen oder Mustern gepflanzt. Anspruchslos, etwas empfindlich bei Nässe.

Winterblüher

Schneeglöckchen

Galanthus nivalis

Wuchs: Kleine eintriebige Zwiebelpflanze mit schmalen, leicht überhängenden Blättern. Das Laub zieht nach der Blüte wieder ein. **Blüte:** Rahmweiße, nickende Glockenblüten im Februar und März. **Boden:** Duchlässiger, frischer bis feuchter, im Sommer auch mäßig trockener, humoser Boden. Im Schatten sommergrüner Gehölze und vor Hecken. **Pflege:** Zwiebeln im September 5 bis 8 cm tief, mit 10 cm Abstand in den Boden legen; nicht düngen. **Besonderes:** Die heimische Wildart ist streng geschützt, im Handel sind meist Sorten von *G. elwesii* mit größeren Blüten.

Christrose

Helleborus-Orientalis-Hybriden

Wuchs: Bis 50 cm hohe Staude mit immergrünen gelappten Blättern und verzweigtem Blütenschaft. **Blüte:** Von Januar bis April grünweiße, gelbliche oder rötliche, im Alter oft vergrünende Blüten, je nach Sorte nickend, schalenförmig, glockig oder sternförmig. **Boden:** Kalkreiche, humose, frische bis feuchte Erde im Halbschatten. Bildet im Schatten weniger Blüten aus. **Pflege:** Anfällig für Falschen Mehltau in feuchtwarmen Sommern, befallene Blätter abschneiden und vernichten. **Besonderes:** Die heimischen Arten *H. niger* und *H. foetidus* (mit grünen Blüten) sind robuster.

Eibe *Taxus baccata* wird an sich zu groß für Grabstätten, kann aber immer wieder stark geschnitten werden. Ältere weibliche Exemplare des immergrünen Gehölzes tragen leuchtend rote Scheinbeeren, die auch an abgeschnittenen Zweigen lange haften. Achtung: Alle Pflanzenteile sind sehr giftig.

Mistel *Viscum album* wächst parasitisch auf Bäumen; die Zweige der immergrünen Pflanze sind ein beliebter Winterschmuck für Gestecke und Kränze, mit weißen oder gelblichen (giftigen!) Beeren. Um die Pflanze ranken sich zahlreiche Mythen, wird heute als Heilpflanze (Krebstherapie) verwendet.

Winter-Jasmin

Jasminum nudiflorum

Wuchs: Immergrüner Spreizklimmer mit langen rutenartigen Trieben, die überhängend wachsen oder klettern. Bleibt klein (1 bis 2 m). Kleine, dunkelgrüne, dreizählige Blätter. **Blüte:** Leuchtend gelbe, an den Trieben aufgereihte Blüten von Dezember bis April. **Boden:** Durchlässiger, frischer, nährstoffreicher, gerne kalkhaltiger Boden an geschützten, halbschattigen Standorten. **Pflege:** Sehr anspruchslos. Soll Winter-Jasmin aufrecht wachsen, Triebe aufbinden. Alle 2 bis 4 Jahre auslichten. Triebe mit Bodenkontakt wurzeln ein, deshalb abschneiden.

Winter-Schneeball

Viburnum x *bodnantense*

Wuchs: Aufrechter, etwa 2 m hoch wachsender sommergrüner Kleinstrauch mit sparrigem Wuchs. **Blüten:** Knospen tiefrosa, Blüten hellrosa und stark duftend, in 5 bis 7 cm breiten und dichten Büscheln. Meist doppelte Blütezeit von Oktober bis November und Februar bis März. **Boden:** Normaler bis frischer Gartenboden mit Mulchdecke, da flach wurzelnd. Wächst im Halbschatten bis Schatten. **Pflege:** Ausläufer und Zweige mit Bodenkontakt abschneiden. Bei zu wirrem Wuchs innere Triebe vorsichtig auslichten. **Besonderes:** Die Sorte 'Dawn' hat den intensivsten Duft.

Silbertanne *Abies procera* 'Glauca' bildet intensiv blau-silbrig gefärbte Nadeln aus, die rund um die Triebe stehen. Die Zweige eignen sich besonders gut zum Abdecken des Grabbeetes im Winter sowie für Gestecke und Kränze. Auch die jungen Zapfen sind sehr hübsch.

Muschelzypresse *Chaemacyparis obtusa* ist besonders gut für immergrüne Kränze und Gestecke geeignet. Ihre Zweige sind an den Enden verrundet und mit feinen, dunkel- bis frischgrünen, schuppigen, nadelförmigen Blättern besetzt, die einen schönen Kontrast zu Tannennadeln bilden.

Friedhofsordnungen regeln im Allgemeinen folgende Dinge:

- > **Ordnungsbestimmungen**, wie Regelungen zum Verhalten der Friedhofsbesucher, Öffnungszeiten und Zulassung gewerblicher Tätigkeiten.
- > **Bestattungsvorschriften** regeln den Ablauf der Begräbnisfeier und die Beschaffenheit von Särgen und Urnen.
- > **Rechtsverhältnisse** an den Grabstätten sind die Vergabe- und Nutzungsrechte an den Gräbern, die Ruhefristen und die Größe der Grabstätten.
- > **Gestaltungsvorschriften** regeln Größe und Material des Grabmals, der Einfassung, die Zulässigkeit von Abdeckplatten sowie Größe und Art der Bepflanzung, Material von Pflanzgefäßen und Gebinden und vieles mehr.
- > **Pflege- und Instandhaltungsvorschriften** gelten für Grabmal und Bepflanzung. Die Bekämpfung tierischer Schädlinge mit Bioziden sowie das Ausbringen von Herbiziden gegen Wildkräuter ist zu Recht auf allen Friedhöfen untersagt. Allenfalls biologisch unbedenkliche Mittel wie Brennnessel- oder Schachtelhalmbrühe zur Stärkung der Pflanze kommen in Frage. Größere Plagegeister wie Wühlmäuse und Kaninchen werden vom Friedhofspersonal selbst bekämpft.
- > **Gebührenordnung** legt die Kosten für die Bestattung und die Benutzung der Grabstätte fest.

Nützliche Adressen

Aeternitas e.V.
Dollendorfer Str. 72
53639 Königswinter
www.aeternitas.de

Arbeitsgemeinschaft Friedhof und Denkmal e.V.
Weinbergstr. 25–27
34117 Kassel

Bildungsstätte des deutschen Gartenbaues
Gießener Str. 47
35305 Grünberg
www.bildungsstaette-gartenbau.de

ARGE – Arbeitsgemeinschaft Friedhofsgärtner-Genossenschaften und Treuhandstellen
Godesberger Allee 142–148
53175 Bonn
www.friedhofsgaertner.de

Bundesarbeitsgemeinschaft Trauerfeier e.V. (BATF)
Gartenstr. 114
24220 Flintbek
www.batf.de

Bundesinnungsverband des Deutschen Steinmetz-, Stein- und Holzbildhauerhandwerks (BIV)
Weißkirchener Weg 16
60439 Frankfurt/M.
www.biv-steinmetz.de

SpittelMeister GmbH & Co. KG
Pforzheimer Grabmale (S.12, 13)
Reutlinger Straße 11
75179 Pforzheim
Tel.: 0 72 31-1 39 87-0
Fax: 0 72 31-1 39 87-27
E-Mail: info@spittelmeister.de

Versandgärtnerei für Grabbepflanzungspakete
Monika Strickler
Lochgasse 1
55232 Alzey-Heimersheim
www.gaertnerei.strickler.de

Verband der Friedhofsverwalter Deutschlands e.V.
Ilgenweg 6a
12349 Berlin
www.friedhofsverwalter.de

Register

Hervorgehobene Seitenzahlen verweisen auf Abbildungen.

Mit 136 Farbfotos von:
Gartenschatz, Stuttgart: 35 (beide), 36 ore, 51, 52, 53 u, 55 o, 62 re, 63 li, 63 re, 64 re, 65 re, 66 (beide), 68 li, 69 re, 70 re, 71 re, 72 (beide), 73 (beide), 74 (beide), 75 (beide), 76 re, 77 (beide), 78 re, 79 re, 80 (beide), 82 (beide), 83 (beide), 84 (beide), 85 re, 86 (beide), 87 (beide), 88 (beide), 89 (beide), 90 (beide), 91 (beide); **Jörg Händler, Neukirch/Lausitz:** 47 ore, 48 re; **Petra Jarosch, Schutterwald:** 6 ore, 24, 53 o; **Brigitte Kleinod,** Waldems: 8, 9 u, 10 (beide), 13 o, 14 o, 18, 19, 23 (beide), 20, 26 (beide), 29, 30 (beide), 31 (beide), 26 ore, 38 o, 40 (beide), 42 o, 45, 50 o, 56,71 li; **Ingeborg Polaschek,** Linsengericht: 14 u, 20; **Wolfgang Redeleit,** Bienenbüttel: 1, 9 o, 28, 36 oli, 37 (beide), 38 u, 41, 43, 47 uli,49; **Reinhard-Tierfoto/Hans Reinhard, Heiligkreuzsteinach-Eiterbach:** 2/3, 5, 6 uli, 7,15, 16, 21, 34, 36 u, 55 u, 57, 58, 60 li, 61 li, 61 re, 65 li, 67 li, 69 li, 70 li, 76 li, 79 li, 81 li, 85 li, 96i; **Reinhard-Tierfoto/Nils Reinhard, Heiligkreuzsteinach-Eiterbach:** 48 li, 50 u, 59, 62 li, 64 li, 78 li, 81 re; **Manfred Ruckszio, Taunusstein:** 26 uli, 42 u, 44, 54, 60 re, 67 re, 68 re; **SpittelMeister, Pforzheim:** 12, 13 u.

Mit 9 Farbillustrationen von:
Ruth Fritzsche, Offenburg.

Alle Angaben in diesem Buch sind sorgfältig geprüft und geben den neuesten Wissensstand bei der Veröffentlichung wieder. Da sich das Wissen aber laufend in rascher Folge weiterentwickelt und vergrößert, muss jeder Anwender prüfen, ob die Angaben nicht durch neuere Erkenntnisse überholt sind. Dazu muss er zum Beispiel Beipackzettel zu Dünge-, Pflanzenschutz- bzw. Pflanzenpflegemitteln lesen und genau befolgen sowie Gebrauchsanweisungen und Gesetze beachten.

Genehmigte Lizenzausgabe für Verlagsgruppe Weltbild GmbH, Steinerne Furt, 86167 Augsburg

Umschlaggestaltung: coverdesign uhlig, Augsburg
Umschlagmotiv: © Burama Ndiaye / coverdesign.net
Gesamtherstellung: Firmengruppe APPL, aprinta druck, Wemding
Printed in the EU
978-3-8289-3080-3

2012 2011 2010 2009
Die letzte Jahreszahl gibt die aktuelle Lizenzausgabe an.

Einkaufen im Internet:
www.weltbild.de